Max Ernst

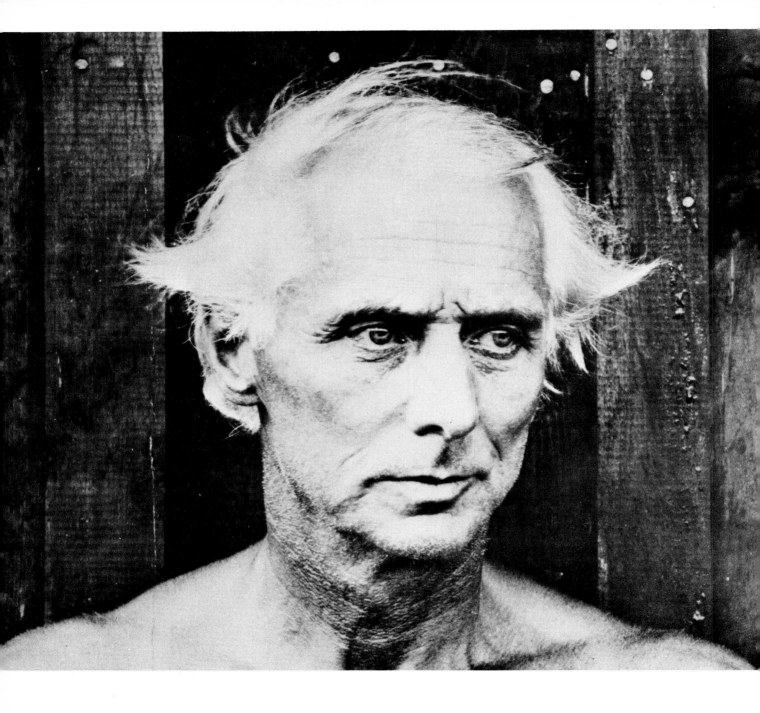

Max Ernst

5 juillet - 5 octobre 1983

Fondation Maeght

06570 Saint-Paul

Couverture: n° 75. Euclide, 1945

Sommaire

Introduction

L'œuvre de Max Ernst est fascinante par la diversité d'une inspiration qui paraît surgir des profondeurs de l'imaginaire. Dans ce parcours où le rêve semble parfois confronter l'irréel, le quotidien est totalement exclu, Max Ernst ayant refusé dès le début tous les dogmes et une quelconque manière qui l'aurait assujetti à un confort académique.

Hors du temps, il semble situer certains souvenirs qui font appel à notre propre imagination. L'hétéroclite et le dissemblable s'allient souvent dans un discours subversif où le passé et le devenir trouvent naturellement leur place mais pour se conjuguer alors au présent. Si le hasard intervient c'est à un rendez-vous donné, merveilleusement suscité, semble-t-il, par des pulsions diverses et subtiles qui maintiennent force et continuité à son œuvre. De là découlent des découvertes picturales nombreuses et parfois déconcertantes soutenues par une technique sans faille et toujours renouvelée. Sans doute, l'étude de la psychologie et de la philosophie ainsi qu'une parfaite connaissance de la peinture romantique allemande ont-elles amené Max Ernst à cette totale maîtrise qui conduit à un aboutissement peu fréquent dans la peinture de ce siècle. Les refus d'un système ou d'une école sont toujours synonymes pour l'artiste de solitude ; dès lors, le pourfendeur de la tradition déroute toujours le spectateur qui se contente d'une lecture hâtive et banale. Ceci explique peut-être que Max Ernst ait été reconnu bien tardivement, car il provoquait l'inquiétude par un non-conformisme d'idées et d'images qui semblaient enfouies dans les replis secrets de nos songes. Sa démarche est complexe et requiert une attention soutenue qui éveille le désir d'approfondir nos connaissances sur une époque fertile en événements artistiques et littéraires de première importance. Elle nécessite aussi de mieux connaître la peinture et la sculpture à un moment charnière où les ruptures ont été nombreuses dans une histoire de l'art qui ne demandait qu'à être mal aimée et malmenée. L'esprit contestataire de Max Ernst correspond indubitablement à Dada qui est une révolte contre tout ordre établi et qui a porté le dérisoire et l'insolite au rang d'œuvre d'art. Mais l'une des conséquences principales de ce mouvement est d'avoir engendré le surréalisme auquel Max Ernst sut apporter par son intelligence et sa culture un dépaysement et un renouvellement incessants. Dans cette œuvre poétique où le malaise côtoie quelquefois l'angoisse, l'enchantement est pourtant constant. Elle illustre parfaitement la pensée d'André Breton qui déclare : « Il n'y a que le merveilleux qui soit beau. »

L'exposition que nous présentons à la Fondation Maeght est un hommage que nous voulions rendre à Max Ernst depuis fort longtemps. Nous en étions convenus ensemble lors d'une rencontre deux ans avant sa disparition, mais la rétrospective du Grand-Palais avait éloigné la réalisation de ce projet. Il se trouve aujourd'hui concrétisé grâce à l'aide de nombreux musées et collectionneurs privés qui ont accepté de se séparer d'œuvres majeures le temps de poser un nouveau regard sur la création de cet « illustre forgeron des rêves ».

Jean-Louis Prat
Directeur de la Fondation Maeght

« Le magicien des palpitations subtiles »

Dès ses débuts, Max Ernst s'est défendu d'être un artiste au sens conventionnel, voire même au sens avant-gardiste du terme. Ses premières œuvres tentent déjà de refuser les influences détectables — même celles du cubisme, du futurisme ou de l'expressionnisme qui prédominaient en Allemagne à cette époque. C'est dans ce refus que s'enracine la spécificité de son style. Et c'est ce style, plus précisément cette ébauche diversifiée d'un univers sceptique et visionnaire qui l'empêcha longtemps de devenir vraiment populaire. Car à la différence des artistes qui ont imposé une certaine image d'eux-mêmes, Max Ernst n'a cessé de se remettre en question, rejetant tout ce qui aurait permis de le reconnaître et de le comprendre aisément.

De même lui manque-t-il tout ce qui pourrait contribuer à une harmonie décorative et à un accès facile. Prise dans son ensemble, l'œuvre irrite plus souvent qu'elle ne plaît. Fascinante, elle attire mais inquiète celui qui la contemple. Max Ernst a d'ailleurs recherché délibérément ce double effet qui correspondait bien à sa nature. Il disait lui-même : «La peinture fonctionne à deux niveaux différents et pourtant complémentaires. Elle produit de l'agressivité et de la ferveur.» Et encore : «Un peintre peut savoir ce qu'il ne veut pas. Mais, malheur à lui s'il veut savoir ce qu'il veut. Un peintre est perdu lorsqu'il se trouve.» Max Ernst estime que son seul mérite est d'avoir réussi à ne pas se trouver. Il ne faut pas oublier cela, car les études qui lui sont consacrées parlent souvent de la diversité de son œuvre, du caractère capricieux de sa démarche, de ses changements de style. C'est ce point de vue qu'il convient de reconsidérer, car il repose sur une impression superficielle. Un regard sur l'ensemble de l'œuvre nous convaincra que ce qui apparaît à première vue comme la satisfaction constamment renouvelée d'un goût pour le divertissement reste subordonnée à une volonté artistique universelle. En dépit de l'extrême diversité de cette œuvre, en dépit des sauts perceptibles sur le plan de la technique et du contenu, on peut déceler des choix de principe que Max Ernst n'a jamais révisés. Parmi ces choix, le refus de toute peinture ou de tout dessin direct : Max Ernst, au commencement d'une œuvre, part toujours d'un matériau préexistant qui l'inspire, qu'il développe dans la méditation, qu'il transforme. Ce qui est décisif, c'est la distance qu'il établit entre les différents éléments du tableau. On pourrait parler d'une esthétique de la distance : il n'est pas de tableau de lui qui ne joue avec la présence d'au moins deux éléments incompatibles dans la réalité.

Nous ne connaissons guère de biographie d'artistes où, dès l'enfance, tout se soit à ce point ligué contre l'orientation artistique. La « vocation » d'artiste de Max Ernst est l'histoire d'un détour compliqué. Il a toujours besoin de quelque chose qui le délivre de l'appréhension que lui inspire la rencontre de la toile nue, de la feuille vierge. Il disait lui-même que la vue d'une feuille blanche lui donnait une sorte de complexe de virginité. Il lui faut de petits adjuvants pour surmonter sa crainte.

Dans ses écrits comme dans ses entretiens Max Ernst relève constamment les contradictions que cache le principe d'identité d'un être ou d'un objet. Il voit derrière chaque phénomène une multiplicité de sens, un monde ouvert : un monde dans lequel rien n'est jamais définitif ni achevé. C'est dans cette instabilité que se révèle la poésie de ses tableaux, collages, frottages et poèmes : tout se situe sur un terrain incertain, mouvant, tout échappe à un jugement autoritaire et définitif. Ce n'est pas un hasard si l'un de ses motifs préférés est le tremblement de terre : l'épiderme du monde se plisse comme le front d'un être plongé dans ses pensées. Cela crépite de toutes parts. Et Max Ernst nous pose une question finale. Lorsque je lui demandai d'actualiser sa biographie parue sous le titre « Notes pour une biographie — tissu de vérités et de mensonges », il rédigea quelques pages sur les dernières années et les intitula « Question finale ». Comme toujours, il s'adresse au lecteur à

2
Couple dans la ville,
1913

la troisième personne, se dissimulant derrière une formulation modeste qui évitant le « je » : « Max Ernst se permet de demander à ses sévères lecteurs et à ses douces lectrices s'il mérite la flatteuse appellation à lui offerte par l'un des plus grands (et des plus méconnus) poètes de notre temps (René Crevel) : *Le magicien des palpitations subtiles* ». C'est la dernière phrase notée par Max Ernst.

« Le magicien des palpitations subtiles ». Voilà une définition précise, lumineuse, derrière laquelle Max Ernst se cache et qu'il nous propose sous forme de question. C'est un trait typique de ce maître de l'indirect, de la relation distanciée avec ce qui passe pour réalité, que de se dissimuler derrière une citation.

Il semble bien que Max Ernst n'était rien moins que « né pour être un artiste » — et lui-même ne se destinait pas à le devenir. Sa biographie et ses souvenirs ne nous proposent pas le scénario classique où le fils, luttant contre la volonté et le désir de ses parents, se proclame artiste. Les années d'apprentissage d'avant la Première Guerre mondiale s'inscrivent dans un canevas aux mailles plutôt lâches : après le bachot passé dans sa ville natale de Brühl, Max Ernst s'inscrit à la faculté de Philosophie de l'Université de Bonn. Il suit les cours d'histoire de l'art, de philosophie et de psychologie. Ainsi qu'il me l'a raconté, il s'intéressait particulièrement aux réalisations plastiques des malades mentaux, à l'art psychopathologique. Il y trouva un réservoir infiniment riche d'idées plastiques et thématiques sur lesquelles il réfléchit et qu'il devait lui-même, à l'époque Dada après la Première Guerre mondiale, opposer avec une profonde conscience critique et une intention polémique à la société rationaliste.

Comme bien d'autres artistes de sa génération — Hans Arp, Kurt Schwitters, Marcel Duchamp, George Grosz, Raoul Haussmann — le mouvement Dada, cette grande révolte des intellectuels européens, fut pour lui un point de départ décisif. Sans ce refus que Max Ernst allait exprimer alors d'une manière grandiose et fondamentale, son évolution ultérieure vers l'expression d'un monde qui dépasse la banalité du réel, est impensable. Max Ernst, le créateur d'univers visionnaires immenses devint par-là même la figure principale du surréalisme. Aucun des artistes qui furent liés au surréalisme et qui dictèrent les principes

12 Armada V. duldgedalzen, 1919

9 La danseuse, Gertrud Leistikow,
   1913

8 Homme à la fenêtre, 1913

23 Baudelaire rentre tard, c. 1922

de ce surréalisme n'a réalisé une œuvre aussi autonome et aussi difficile à définir. William Rubin qui écrivit l'histoire de Dada et du surréalisme a montré que Max Ernst était la figure dominante de ces mouvements, celle qui les justifiait pleinement. « De nos jours, écrit-il, il apparaît que Max Ernst était destiné à jouer un rôle prépondérant dans l'atmosphère poétique, intellectuelle et anti-esthétique qui marqua l'art après 1918... La grandiose succession des styles et des techniques fait de lui, pour Dada et le surréalisme, ce que représente Picasso par son œuvre tout entière pour l'art du XXᵉ siècle. »

Les « orientations stylistiques » que propose l'avant-garde à l'époque ne placent nullement Max Ernst devant des choix impératifs. Il n'a à se décider en faveur d'aucun style. Sa relation avec les groupes reste libre — il poursuit sans rien dissimuler ses expériences. Nous connaissons un autoportrait de cette période des débuts — son seul autoportrait comme peintre. Plus tard, dans les années trente, Max Ernst reviendra sur le devant de la scène : sous les traits de Loplop. Jamais, fait significatif, comme un peintre à la première personne, mais — les titres le montrent bien *(Loplop présente)*, comme présentateur à la troisième personne du singulier. Dans la revue publiée par les candidats au baccalauréat « Aus unserem Leben an der Penne » (Notre vie au bahut) qu'il illustra en 1910 pour sa classe, il ironisait sur lui-même. Il s'est représenté sur un tronçon de colonne portant chapeau et crinière d'artiste. Sous le chapiteau, l'inscription : « Max Maria » et une légende empruntée au poète dessinateur Wilhelm Busch : « Un jeune homme qui promet beaucoup s'habitue aisément à la peinture. » Le torse se termine en colonne et va se fondre — au niveau des cuisses — dans la grande colonne. La main gauche porte, appuyée sur le bras gauche, une énorme palette. Elle est aussi grande que lui. Il tient dans la main droite un gros pinceau de peintre en bâtiment et s'en sert pour enduire la palette. Le trop-plein de peinture et le trop-plein d'expressivité expressionniste débordent en stalagmites et en stalagtites. C'est un « peintre » très décontracté, nullement passionné, qui nous regarde. Le fût de la colonne dans lequel se fond le corps et qui fait penser à un monument, anticipe sur celui qui, dans le tableau *Au rendez-vous des amis* peint par Max Ernst dans l'hiver 1922 après son installation à Paris, présente Giorgio de Chirico comme un monument de lui-même, vision pour le moins critique. Il est certain que ce premier dessin en forme de portrait-charge n'exprime aucun espoir en un avenir consciemment préparé. Il révèle une phase autocritique évidente et livre comme un symbole de « Max Ernst avant Max Ernst » qu'August Macke, l'ami des années de Bonn, allait mettre en garde peu de temps après : « Vous avez trop de talent. Vous devriez en user moins. »

Ce que nous connaissons des œuvres de Max Ernst de l'époque d'avant 1918-1919, reste profondément ancré dans ce temps. Elles représentent pour ainsi dire une « tentative de libération », dans la mesure où elles ne subissent jamais trop ni ne retiennent longtemps une influence. Ces travaux ont quelque chose d'autodestructeur, comme si Max Ernst voulait à cette époque se fermer la voie directe vers la peinture. Il devrait encore poursuivre d'autres expériences avant de savoir avec lucidité qu'il ne s'intéresserait jamais plus au monde des aînés et des modèles — dont son père Philipp Ernst, peintre lui aussi, était le plus proche ; ces expériences allaient aboutir tout naturellement à « l'œuvre de destruction totale de Dada », si constructive. Risquons ce paradoxe : c'est bien la première phase du travail de Max Ernst qui fut de destruction, et non sa période dadaïste. Car l'absence de dessin et les contradictions stylistiques de ses premiers tableaux réalisés dans le voisinage de l'exposition du Sonderbund à Cologne, de Macke et du « Sturm », ne dissimulent pas que l'univers Dada s'est structuré en tant qu'univers stylistiquement et moralement bien précis.

Lorsqu'en 1918 Max Ernst revient de la guerre, il se situe « au-delà de la peinture ». Les premiers travaux réalisés dans cette période de liberté révèlent son entière indépendance par rapport aux styles ou aux travaux connus. Rien ne saurait se comparer à la continuité, on est tenté de dire à la discipline du refus dont il fera preuve désormais. L'hostilité que lui manifesteront les musées et la critique — il a déclaré lui-même : « Je n'ai pas le don de plaire aux spécialistes » — montre à quel point le barrage du refus édifié pendant plus de cinquante ans par Max Ernst contre les normes artistiques, contre les idéologies, rejetait les idées reçues. Notre siècle n'a reconnu que très tard la superbe contribution que fut la sienne, la manière dont il sut se frayer une voie entre le travail créateur pur et l'appropriation sarcastique des objets de rencontre. Le refus, le rejet sont les points de départ de cette genèse inhabituelle fondée sur la constante mise en question de représentations existant déjà, mais esthétiquement neutres.

Pour ses collages et, à partir d'eux, pour l'ensemble de son œuvre, il a recours au questionnement, à la transformation d'illustrations empruntées aux domaines les plus divers.

Max Ernst peut être sceptique, il n'est jamais cynique. Pour lui-même il n'a jamais eu recours à la terminologie de l'anti-art, car il savait que dans le domaine de l'esthétique, du religieux, de la morale, chaque geste qui procède de la négation tombe dans la dialectique du système et produit simplement en fin de compte un style nouveau, un système nouveau. Je pense que les origines de Max Ernst — ses études philosophiques et psychologiques à Bonn — l'ont conduit plus que tout autre artiste de ce siècle à de telles réflexions. Avant la Première Guerre mondiale déjà, il avait été frappé en constatant que la frontière entre l'art et le non-art, entre un comportement psychique normal ouvert sur la vie sociale et un phénomène psychopathologique, ne pouvait être tracée avec précision.

Toutes les opinions qui prétendaient régenter le domaine de la pensée, du sentiment, de la création à partir de jugements de valeur — et la société bourgeoise s'y adonnait avec conviction — lui paraissaient suspectes et réductrices. En participant à une manifestation Dada il ne cherchait pas seulement à provoquer un état de fait impossible pour l'esthétique.

16   L'ascaride de sable, 1920

14   Sans titre, c. 1920

Il ne s'attachait pas à la contestation et à la révolte pour elles-mêmes. Il voulait d'entrée de jeu étendre les problèmes esthétiques aux domaines qui lui étaient étrangers. Outre les gestes de provocation et de refus, nous trouvons très tôt dans les travaux réalisés par Max Ernst pour le groupe Dada de Cologne tout ce qui en fait des œuvres à caractère positif. Cela vaut aussi bien pour les thèmes que pour les techniques. Tout ce qui a été conservé de la période dadaïste montre bien qu'il engagea son combat contre la production artistique de l'époque sur la base d'une nouvelle volonté esthétique. Nous trouvons d'ailleurs parmi ces premières réalisations — essentiellement des collages et des combinaisons d'éléments préexistants — un grand nombre d'œuvres révélant une parenté formelle. Nous pouvons parler dès lors d'une conscience de la forme. Il ne faut pas oublier qu'à la différence d'autres artistes du mouvement Dada, Max Ernst n'était pas seulement animé par des idées anarchistes et négatrices à la fin de la Première Guerre mondiale : à son scepticisme envers l'art de l'époque s'ajoutait un sentiment de fascination pour l'œuvre de Giorgio de Chirico. Et dans l'œuvre de De Chirico, dans sa peinture métaphysique, dans ses tentatives de fuite hors du temps pour transgresser l'existence banale, Max Ernst trouva la possibilité de poursuivre ce qui devait le stimuler le plus fortement tout au long de sa vie. Je veux parler de son enthousiasme pour la peinture romantique allemande, pour les travaux de Caspar David Friedrich, autant que pour la philosophie idéaliste et les poèmes de Hölderlin, Novalis et Heine.

Dans cette perspective Max Ernst apparaît comme l'une des figures centrales de ce siècle. Nous pouvons voir en lui l'extrême opposé de Picasso. Comme Picasso, Max Ernst ne s'est pas contenté de priver l'évolution générale de l'art de l'idée d'un tracé logique de l'avant-garde d'une téléologie, il a également axé l'épanouissement de son œuvre sur cette rupture exprimant un profond scepticisme anthropologique et artistique. Pas plus que l'œuvre de Picasso, celle de Max Ernst n'a été créée en fonction d'un résultat. Dans les deux cas nous nous trouvons devant une personnalité de non-artiste, devant une façon d'être qui ne s'arrête pas aux problèmes d'évolution et s'accomplit par bonds et retours en arrière. Mais les points de départ des deux œuvres n'ont rien de commun. Picasso reste réaliste en toute chose. Sa thématique ne propose aucune énigme, elle découle de la réalité. Il en va autrement chez Max Ernst. Tous ses travaux mettent la thématique elle-même en question. Les nombreuses représentations de la nature et du cosmos acquièrent, non seulement par la manière dont elles sont réalisées mais par la modification que l'artiste impose à leur contenu, un caractère de non-réalité qui se dérobe à tout vécu réel. Jamais Max Ernst ne modifie un thème qu'il a choisi en s'obstinant sur des éléments stylistiques, en privilégiant la déformation ou l'expressivité. Ses travaux sont des lieux de convergence où des sujets imaginaires rencontrent des procédures techniques chez lesquelles la distance entre tradition et innovation reproduit la distance entre le réel et le représenté. C'est en cela que réside l'innovation révolutionnaire de Max Ernst : pour aboutir à une iconographie visionnaire ou ironique, il imagine des moyens de représentation qui font surgir ces contenus nouveaux au plan de la technique elle-même.

la grande roue orthochromatique qui fait l'amour sur mesure

13
La grande roue orthochromatique
qui fait l'amour sur mesure,
c. 1919-1920

Il s'agit maintenant d'exprimer le refus de l'académisme, de la tradition, à l'aide de nouveaux moyens d'expression et de nouveaux contenus. Max Ernst a recours à deux procédés pour remplacer le travail direct : le collage et le frottage. Innovations techniques, mais surtout procédés permettant d'élaborer un univers de formes fondé sur des présupposés entièrement nouveaux. Pour les collages Max Ernst utilise un matériau pictural préexistant. Il s'agit presque exclusivement de représentations empruntées au domaine non artistique. Ce sont des gravures sur bois, des reproductions qu'il trouve dans des livres ou des publications scientifiques du XIXᵉ siècle. Ceux-ci n'étaient plus à la mode. Les livres et le langage publicitaire empruntaient déjà d'autres techniques, en particulier la photographie. Il utilise donc un matériau démodé qui, du même coup, paraît insolite. A l'aide de ces représentations il monte de nouvelles images avec une telle perfection technique que le spectateur a le sentiment de tableaux parfaitement indépendants et homogènes, sans lien avec quelque chose qui aurait préexisté.

Max Ernst a presque toujours su préserver le secret de ses réalisations. Les collages originaux servant pour les clichés des reproductions dans les romans-collages étant difficiles d'accès, il était presque impossible de déceler la dimension réelle du travail de transformation.

Les raccords de collage restent invisibles. Dans de nombreux cas — en particulier dans les grandioses romans-collages qu'il publie après son installation en France — le collage en tant que tel est effacé par la reproduction. Du point de vue technique il ne s'agit pas d'une invention. Les cubistes, Picasso et Braque, avaient déjà intégré des papiers collés dans leurs œuvres. Ce qui est nouveau et révolutionnaire chez Max Ernst, c'est le caractère total du processus, c'est la perfection du simple rapprochement d'éléments étrangers auxquels il impose sa griffe. En précisant, d'abord, que Max Ernst utilise un matériau pictural qui reste constant, c'est-à-dire qui appartient à une période et à une technique déterminée. En ajoutant qu'il invente un langage pictural poétique a-logique que l'on reconnaît comme le sien. Il ne cherche pas a réunir en un mélange absurde des éléments épars. Les images qui résultent de ce travail correspondent à un projet créateur singulier.

La part de génie dans sa réalisation consiste dans la création d'une syntaxe *et* d'une poétique qui établit un lien entre ces œuvres. Max Ernst ne s'abandonne pas aveuglément aux suggestions d'un matériau préexistant. Il fait un choix qui correspond autant à sa préférence formelle qu'à son désir de créer de nouvelles images poétiques inconnues. La fascination qu'exercent les collages tient à ce que, par de modestes et rares manipulations, il soustrait à toute saisie fondée sur la causalité un univers parfaitement banal que nous côtoyons sans le voir. Le recours à des illustrations comme matériau initial, un matériau qui n'avait encore aucun statut esthétique, ne fait que renforcer son impact. Le collage a donné à Max Ernst un nombre inouï de possibilités pour la composition comme pour le contenu. Il l'a doté de techniques nombreuses qui lui ont permis d'édifier, en dépit de son scepticisme à l'égard du travail artistique, une œuvre véritablement artistique. Une œuvre basée sur l'assemblage d'éléments hétérogènes. Et qui fixe une limite à notre compréhension logique. Nous pouvons comprendre certains éléments isolés, nous pouvons distinguer certains détails : mais la somme que constituent ces tableaux se dérobe à notre compréhension pragmatique, logique. C'est sur elle que se fonde la provocation poétique qui émane de telles œuvres. Car les tableaux réalisés à partir des collages sont réalisés de la même manière. Dans les peintures des objets, des éléments compréhensibles cohabitent avec d'autres tout aussi compréhensibles mais dans une relation inouïe et bouleversante. Et c'est à notre imagination que s'adresse le tableau nouveau.

Comment interpréter ces œuvres ? Diverses tentatives ont été entreprises, parmi lesquelles le recours à la psychanalyse semble la plus naïve et la plus étroite. Max Ernst fut le premier artiste qui fit délibérément référence aux découvertes de Freud qu'il a étudié très tôt. Dès 1913, il avait lu « L'interprétation des rêves » et « Le mot d'esprit et son rapport avec l'inconscient ». Sa connaissance de Freud lui a permis d'analyser sa personnalité, d'éclairer ses désirs et de maîtriser les associations qui s'imposaient à lui. C'est consciemment qu'il a adopté la symbolique de l'interprétation des rêves. L'utilisation délibérée de tels motifs n'a plus besoin d'être analysée : elle s'ouvre désormais à une lecture poétique. Chacun est libre d'interpréter ces images comme il le veut. Les tableaux doivent rester ouverts. Max Ernst disait que son univers pictural se prêtait à toutes les interprétations possibles, sauf à celle qui fait intervenir la rationalité — car elle aplatirait un tel univers.

15 Sans titre, 1920

Nous avons parlé des collages comme d'un premier groupe innovant dans la technique et le contenu, et s'inscrivant dans l'élaboration indirecte. Le second groupe relève du frottage. Max Ernst prend une feuille de papier, qu'il pose sur un support inégal. En frottant le papier avec un crayon doux, la matière de ce support apparaît et s'imprime. C'est en 1925 que Max Ernst, seul dans une chambre d'hôtel sur la côte française, fut fasciné par le plancher, les madrures, la texture du plancher. Peu à peu il isola dans ces formes naturelles des figures, des structures et il désira les fixer. C'est ainsi qu'il eut l'idée de frotter la feuille jusqu'à ce que le plancher s'y imprime, puis il appliqua d'autres éléments sous la feuille, des fibres végétables, des queues de cerises, du pain sec, de la paille tressée qu'il assembla dans les frottages, créant des fantasmagories picturales. Comme pour les collages, il part d'éléments tout à fait banals que le spectateur ne perçoit pas, dont un Européen ne pourrait avoir une perception esthétique. Le frottage permet à Max Ernst d'obtenir des effets entièrement nouveaux dans l'art. La feuille de papier est couverte d'une multitude de tracés et de formes minuscules. Il intitulera une série de vingt-quatre feuilles réalisées de cette manière « Histoire naturelle ». Le titre révèle bien l'intention de Max Ernst : il a recours à une définition où tout Européen voit un déchiffrement logique du monde, où sont rassemblés et classés les résultats d'une recherche. Mais ce qu'il propose dans cette histoire naturelle ce sont des mondes, des paysages irréels, des espaces cosmiques, des créatures animales et végétales que nul n'a jamais vues ni décrites. Il remplace le monde réel que chacun peut reconnaître par un monde possible. Nous retrouvons donc dans les frottages cette double réponse que nous avons reçue dans les collages, même association d'inspirations formelles et d'énoncés thématiques.

A partir des collages à la colle Max Ernst a réalisé des collages peints, c'est-à-dire des tableaux rassemblant des situations, des figurations qui n'auraient jamais dû se rencontrer. Le frottage aboutit à une extension de même nature, tout aussi importante. La richesse des structures minuscules des premiers frottages permet à Max Ernst de transférer également ce procédé à la peinture à l'huile. Il prend une toile, il l'enduit de peinture liquide et la pose sur des supports divers, plus ou moins irréguliers. A l'aide d'un couteau à palette il gratte la peinture dont la couche s'enlève aux endroits où le support présente un léger relief. Max Ernst répète indéfiniment ce procédé. Les figures traversent peu à peu la toile pour s'y imprimer. Il qualifie ces tableaux de grattages. Il sont riches de formes minuscules qui obligent l'œil à une mobilité constante. Il s'en dégage une sorte de fascination sensuelle, l'œil a le sentiment de s'ancrer dans ses reliefs.

Les œuvres réalisées par les techniques du frottage et du grattage possèdent une dimension extatique. Un tableau comme *La ville entière* en fournit un exemple frappant. La rencontre d'éléments végétaux et de montagnes arides en forme de temple, a quelque chose de fascinant. Les paysages se transforment ici et pour toute une série de tableaux, en fantasmagories, en rêves de territoires inaccessibles où s'exprime fortement le sentiment de la nature propre à Max Ernst. Le frottage-grattage vient ouvrir une brèche. Au lieu du démontage-remontage ironique et sceptique auquel la période Dada soumet le monde, nous avons sous les yeux les représentations d'une saisie hallucinée du monde. Max Ernst nous donne une cosmogonie visionnaire, il crée des espaces et des créatures évoluant entre l'imaginaire et la réalité, qui nous laissent entrevoir un monde du presque possible. Ces tableaux correspondent au plus haut point à l'esthétique surréaliste.

La peinture de l'après-guerre, la peinture informelle, doit beaucoup à cette technique de Max Ernst. Des peintres comme Fautrier ou Dubuffet sont quasiment inconcevables sans ce travail sensible sur la surface de la peinture. Mais Max Ernst n'a jamais conféré un sens informel, non figuratif, à ses structures composées d'éléments minuscules. Elles restent constamment ouvertes à une interprétation figurative. Cela tient à une conviction fondamentale souvent expliquée dans ses écrits. Il raconte comment il a été amené à peupler de formes et de figures des taches, des matières sans forme. Il aimait citer Léonard de Vinci montrant comment celui qui scrute l'informe parvient peu à peu à voir se préciser un paysage, une figure, une chose du monde. Ce qui pousse Max Ernst à déchiffrer les phénomènes, à les mettre en relation avec des choses déjà vues, l'empêche d'accepter simplement une tache, une cicatrice, une fissure pour ce qu'elles sont. Il ne peut y avoir de peinture sans objet pour lui, et les tableaux, même ceux qui ne semblent exprimer que le plaisir sensuel des formes et des couleurs, gardent toujours quelque trace infime de réalité.

Nous chercherons donc en vain dans l'œuvre de Max Ernst des réalisations non interprétées, qui n'exprimeraient que l'aspect sensuel du matériau. Il ne faut jamais l'oublier lorsqu'on tente de le situer dans l'art de l'après-guerre. Il ne cherche pas à ériger en absolu les techniques auxquelles il a eu recours le premier dans les années vingt. La dénégation, le refus deviennent des concepts clés lorsqu'on tente d'imaginer l'extraordinaire nouveauté de sa démarche : il s'agit d'un affrontement constant avec des images, des structures et des formes préexistantes et disponibles. On connaît bien son récit du choc ressenti en découvrant le monde de l'imprimé, l'inventaire du monde reproduit : « Par un jour de pluie à Cologne, au bord du Rhin, le catalogue d'un institut pédagogique attira mon attention. Je vois

17   Katarina ondulata, 1920

29   L'as de pique, 1924

la présentation de modèles de toutes sortes, mathématiques, géométriques, anthropologiques, zoologiques, botaniques, anatomiques, minéralogiques, paléontologiques, etc. Des éléments de natures si diverses que l'absurdité de leur voisinage troubla mon œil et mon esprit, provoquant des hallucinations, conférant aux objets représentés des significations nouvelles qui ne cessaient de changer. Je sentis soudain ma « capacité visuelle » décuplée à tel point que je vis les objets nouveaux se produisant ainsi sur un arrière-plan nouveau. »

Une inspiration qui s'en remet à la fascinante catégorie du soudain, une inspiration qui se détache largement de l'influence de l'histoire et du déterminisme culturel et social, qui se réfugie dans le champ d'une liberté personnelle vécue spontanément, semble être, en notre siècle, la condition préalable d'un travail qui revendique a priori la rupture avec la continuité culturelle. A la perception sans ambiguïté des formes vient s'opposer une « ouverture » de ce qui a été vu, un regard qui pénètre tout ce qu'il rencontre. Les hallucinations et les perceptions agissent en même temps comme le constate Max Ernst en conclusion de son texte : dans les tableaux ainsi réalisés, où les choses les plus diverses s'entremêlent, il dessine ou peint des paysages, des lignes d'horizons, des ciels, des coupes géologiques.

Ce qui est décrit ici, c'est une prédisposition. Le « hasard » apparaît comme un concept qu'on ne saurait rationaliser mais qu'une plus grande compréhension de la biographie de l'artiste permet de comprendre précisément parce que le hasard ne pouvait agir que là où son contenu même devait provoquer une réaction. Car il ne s'agit pas d'une « révélation » nécessaire ou objectivement valable dont n'importe qui d'autre aurait pu et aurait dû profiter. Ce qui nous est représenté, ce sont des « moments privilégiés » correspondant à une prédisposition singulière et à un vécu particulier. De telles découvertes « fortuites » cadraient naturellement avec une situation esthétique qui refusait toute élaboration normative et organisée d'une œuvre. La tradition était remplacée par l'illumination, en termes plus profanes il s'agit de la découverte de domaines d'activité adéquats à une subjectivité, du « hasard objectif » qu'André Breton a défini comme la rencontre entre une causalité extérieure et une finalité intérieure.

18
Sans titre
ou Les hommes ne le sauront
jamais, c. 1921

Pour les dadaïstes le jeu avec le hasard est une tactique qui permet de se soustraire aux méthodes de travail traditionnelle en même temps qu'au déterminisme social, politique et national. On voulait rejeter de façon radicale le déterminisme historique, voire le déterminisme génétique et, du même coup, la responsabilité dans la guerre, le désastre. Ce n'est pas un hasard si une publication dada choisit pour devise cette phrase de Descartes : «Je ne veux même pas savoir qu'il y a eu des hommes avant moi. »

Dans les mois qui suivirent son retour de la Première Guerre, Max Ernst abandonna ses études et renonça en même temps à cette constante confrontation entre «la page blanche d'une part et [lui], l'artiste, de l'autre». C'est alors que commence ce que, reprenant la formule de Mallarmé, on pourrait appeler «le blanc souci de notre toile». L'œuvre tourne constamment autour de cette provocation blanche, Max Ernst trouve constamment ces auxiliaires techniques qui lui permettent de se réinstaller «au-delà de la peinture». Clichés typographiques, collages, frottages, grattages, décalcomanies : c'est un jeu subtil de citations d'œuvres préexistantes qui se limitent à des allusions — en réalité ce sont les formes matériellement perceptibles d'une inhibition fondamentale par rapport à la créativité abaissée progressivement au niveau d'une convention.

Dada — dont le concept est synonyme de crise et de révolte à une époque donnée — a permis à Max Ernst de s'ancrer objectivement dans son temps, mais lui a fourni aussi d'un point de vue subjectif le cadre dont il avait besoin pour des raisons intimes, politiques, culturelles et nationales. Les dispositions ironiques de Dada le servaient ; elles ne lui permettaient pas seulement d'exercer ses dons pour les renversements, les transmutations de valeurs : l'ironie et l'auto-ironie finissaient par s'annuler — et c'était là la condition d'une œuvre future qu'on allait reconnaître à sa volonté formelle. Dans les clichés typographiques, les frottages, la peinture sur éléments imprimés, il se fixe pour tâche d'isoler le monde extérieur du monde intérieur jusqu'à ce que celui-ci satisfasse un intérêt esthétique. L'œuvre présente la séparation, montre çà et là une fois de plus le point de vue d'une «personnalité du choix» imprimant clairement son sceau à une telle séparation. Par l'intermédiaire de l'art le réel devint abstrus ; ce n'est pas l'art que le réel aliène, c'est le réel qui est aliéné par l'art. Cette décision prise par Max Ernst fut pour lui un acte sans précédent de libération. Il découvre la possibilité d'échapper à la création directe, à la toile vide, à la feuille blanche. Mais un regard sur l'œuvre montre que cette combinatoire ne permet nullement n'importe quelle association. Les travaux réalisés sont relativement peu nombreux et la correspondance échangée avec Tristan Tzara montre que Max Ernst s'inquiétait du sort des collages qu'il avait confiés à la poste. A la richesse infinie de l'inventaire pictural, du matériel imprimé qu'il trouve le plus souvent dans des publications populaires du XIXe siècle, s'oppose la limitation très sensible d'une contradiction, d'une élaboration adéquate à l'œuvre. La censure, si nous nous référons à une terminologie empruntée à l'«interprétation des rêves» de Freud, fonctionne ici comme une catégorie esthétique de la production, dans un cadre rigoureusement circonscrit, aux limites formelles et iconographiques bien précises. Le regard qui saisit le matériau hétérogène préexistant, procède à un tri et opère dans le cadre d'une structuration possible. Nous nous trouvons devant ce fait fascinant : pour la première fois dans l'histoire de l'art, une œuvre se situe dans une généalogie de représentations, qui ne sont pas seulement des modèles, mais participent à la genèse même de l'œuvre qui accorde à la combinatoire la même importance qu'à l'invention. C'est en cela que réside le caractère inouï des premières réalisations Dada de l'époque de Cologne : la manière même dont le matériau existant est cité introduit une notion de style spécifique, les circonstances d'une activité authentique qui ne peut s'appliquer qu'à Max Ernst. Prenons pour exemples les clichés typographiques réalisés à la fin de 1919. A l'imprimerie Hertz qui édite les publications de Dada de Cologne, Max Ernst utilise les clichés d'une imprimerie de bilboquets. C'est la première fois qu'il puise dans l'inventaire des reproductions d'illustrations. Mais il ne cède nullement au hasard, saisissant ce qui lui tombe sous la main. Si nous comparons les compositions qu'il réalise à partir des clichés d'imprimerie, qu'il reproduit et complète au crayon ou à la plume, nous constatons que ces feuilles n'ont pas du tout pris forme indépendamment et qu'elles n'ont pas été composées à partir de clichés différents. Certains éléments réapparaissent plusieurs fois, parfois la tête en bas. D'autres groupes de travaux réalisés à cette époque, les grattages utilisant de grandes lettres de bois, les clichés recouverts de peinture, les photo-collages et les collages composés avec des gravures sur bois, font partie de séries entières, ils ne constituent nullement — comme c'est par ailleurs le cas de travaux effectués dans le contexte de Dada — les blocs erratiques d'un refus exemplaire constamment renouvelé, les *concetti* de la mise en scène du hasard. Dans la répétition, dans une sorte de réalisation en séries que l'on découvre chez Max Ernst, s'exprime — en pleine « Belle Epoque de la destruction dadaïste » une opposition à toute possibilité générale de combiner des éléments visuels. On voit apparaître des normes, des thèmes repérables dans toute l'œuvre. Au-delà du changement de style qui assume un rôle essentiel chez Max Ernst, qu'il peut toujours légitimer, il y a des constantes techniques, des modes de sélection qui visent l'originalité stylistique, une écriture déterminée et autonome. Mondrian fut le premier à le découvrir avec une acuité extrême, en disant qu'il se sentait plus proche de Max Ernst que de toute la peinture moderne. Il a reconnu derrière la richesse visionnaire des paysages de Max Ernst, derrière l'aspect baroque des tableaux de hordes, derrière le laconisme des collages apparemment dû au hasard, la constante constructiviste inhérente à l'œuvre, l'écriture automatique *more geometrico* à laquelle il était parvenu.

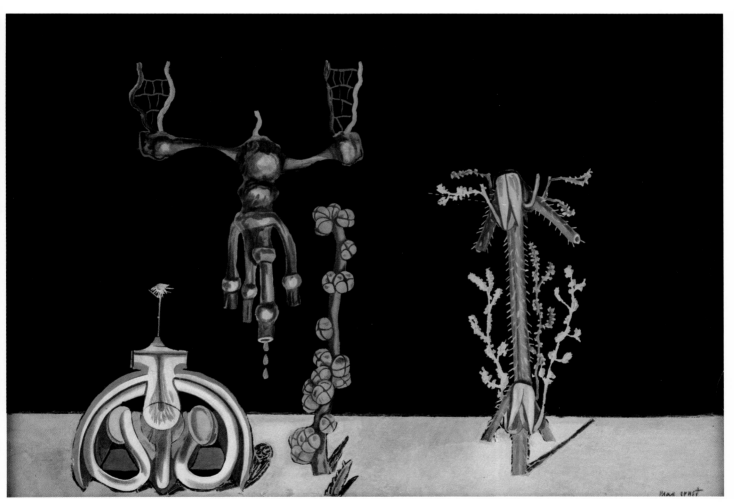

19   Sans titre, c. 1921

33

C'est dans ce refus individuel de toute l'avant-garde que s'amorce de façon grandiose une œuvre qui, en mai 1921, allait stupéfier les amis parisiens du jeune homme venu de Cologne. Le double langage de l'œuvre allait aussitôt s'imposer dans l'exposition organisée au « Sans Pareil », avenue Kléber. Après 1927, lorsque Breton, dans « Le surréalisme et la peinture », parlera de Max Ernst on découvre quel événement ce fut alors, une véritable épiphanie : « Quand Max Ernst vint. » C'est d'ailleurs à l'occasion de cette exposition que Breton publia son premier texte sur l'art. Mais, à la différence des autres manifestes Dada, il n'est pas question ici de destruction de l'art, en revanche il est traité clairement de tout ce qui le différencie du cubisme et du symbolisme. Breton s'en remet ici à Max Ernst et tente d'élaborer une poétique à partir de la déformation et du renversement si souvent pratiqués par le mouvement Dada. Il en vient à dire que tous les efforts de l'homme ne réussiront pas à réaliser un seul élément nouveau de réalité. On doit se contenter de varier la disposition des choses existant déjà, et des références à Poe, à Raymond Lulle, à la combinatoire mathématique viendront renforcer cette constatation dans le « Manifeste du surréalisme ». N'est-ce pas Poe qui, dans une note accompagnant « La littérature à New York », constate que la poésie ne parviendra jamais à atteindre un niveau tel d'imagination qu'elle puisse ajouter quelque chose aux réalités existantes. Il est clair que la créativité est définie ici comme une sorte de disponibilité devant un monde existant dont les approches sont loin d'être épuisées. Les incunables d'une picturalité extatique surréaliste existent déjà à cette époque dans l'œuvre de Max Ernst : ce sont des tableaux qui procèdent d'une manière inconnue à la lévitation des choses connues en leur conférant une dimension énigmatique. Ce n'est pas par hasard qu'un des titres de ces années-là est *Alles ist noch in der Schwebe (Tout est encore en suspens)*. L'être ou le non-être d'une chose que l'on peut toujours reconnaître avec précision — qu'il s'agisse des éléments de tableaux comme *Œdipus Rex, La femme chancelante*, des détails de collages destinés à des livres comme *Répétitions, Les malheurs des immortels* — est en fin de compte sans importance. Ce qui importe c'est l'intégration nécessaire, stupéfiante, d'éléments disparates dans des tableaux qui, prétendant à une picturalité nouvelle, inouïe, censurent une picturalité antérieure devenue banale et mettent au jour son « peu de réalité » (Breton). C'est là justement où l'on voit que le collage — le collage en tant que technique et combinatoire imprégnant toute l'œuvre — ne reste pour Max Ernst qu'un moyen formel qui, utilisant des objets préexistants, réalise, avec une sorte d'économie dans le travail, de nouveaux tableaux qui déconcertent rapidement. Nous ne cessons de découvrir dans ces réalisations comment une intégration picturale, un tableau nouvellement produit, trouve une réponse dans la tendance centrifuge des illustrations initiales. Le sens plus ou moins caché du matériau pictural initial utilisé, disparaît derrière la signification extensive nouvelle, sans cesser de resurgir çà et là.

Prenons un exemple et supposons que dans une œuvre comme *Die kleine tränenfistel die tick-tack sagt (La petite fistule lacrymale qui dit tic-tac)* le papier peint utilisé par Max Ernst disparaisse entièrement derrière une nouvelle représentation de « forêt », dans ce cas le papier peint serait complètement oublié. Le processus de la métamorphose serait annulé par le résultat obtenu. Mais, du fait que leur origine vibre dans l'ensemble comme écho lointain, les tableaux de Max Ernst deviennent les tableaux d'une réminiscence qui dépasse tout : en les voyant, le spectateur a l'impression d'un « déjà vu » projeté dans l'avenir. Le caractère énigmatique de ces représentations qui viennent pour ainsi dire « sur la langue » de l'œil, ne saurait être atténué par des notions logiques. C'est ainsi que l'on pourrait tenter de cerner l'effet produit par les œuvres de Max Ernst. Un obscur sentiment de réalité, de déjà vécu, de passé, d'avenir, envahit le spectateur, s'accumule et ne peut être clarifié par aucune définition. Les tableaux ne cessent de se dérober à une intervention logique, à une explication définitive, libératrice. Nous ne pouvons que tendre vers des définitions, des interprétations et c'est ce qui devient si irritant : un matériau dont les détails d'origine sont parfaitement compréhensibles et qui désigne des choses existant réellement perd, à la suite de quelques manipulations, toute raison d'être apparente, au point de se voir privé de son être premier dans la nouvelle unité à laquelle il participe.

L'interprétation des « contenus », leur saisie concrète, ont été impossibles jusqu'à présent. L'énergie produite par l'excitation accompagnant la réalisation des tableaux, ne s'est pas épuisée. Revenons aux romans-collages : ils ne se laissent pas apprivoiser. Le mystère que dégagent des tableaux comme *La ville entière, Jardin gobe-avions, Vox angelica, Le surréalisme et la peinture* n'a pu être cerné ni réduit, même par une longue fréquentation. Et nous revenons néanmoins toujours vers ces représentations comme vers le lieu d'un crime poétique, cherchant sans cesse la question qui devrait être posée. Ce retour constant, ces tentatives visant à dégager de force une solution, font partie des contraintes métaphysiques dont nous nous passerions aussi mal qu'on pouvait se passer, en d'autres temps, de la quadrature du cercle, de la fascination exercée par le mouvement perpétuel. Même si Max Ernst a toujours refusé de parler de ses tableaux comme des pièces d'une maison dont il aurait fermé toutes les portes à clé, il ne cesse pourtant de s'interroger sur le degré supérieur, plus complexe, de réalité, que recèle cet univers pictural échappant à l'interprétation.

En 1934, dans le texte «Qu'est-ce que le surréalisme?» qui préface le catalogue de l'exposition surréaliste du Kunsthaus de Zurich, il écrit à propos de ses frottages pour *Histoire naturelle:* «La signification révolutionnaire de cette physiologie qui sans doute produit d'abord une impression absurde, sera peut-être plus intelligible du fait que la microphysique moderne a donné des résultats analogues. Après mesurage d'un électron en mouvement libre et mesurage ultérieur de son déplacement, P. Jordan déclare: «Mais la distinction entre monde intérieur et monde extérieur se voit privée d'un de ses principaux soutiens avec la réfutation expérimentale de l'idée qu'il se présente dans le monde extérieur des faits qui, indépendamment du processus d'observation, possèdent une existence objective.» Nous ne trouvons guère ailleurs dans les arts plastiques l'expression d'un scepticisme aussi précis, ancré dans l'herméneutique de l'époque. Cette référence aux méthodes des sciences de la nature, à des formes de connaissance déterminées techniquement qui, au lieu de définir un monde reconnu, produisent sans cesse des mondes nouveaux qui sont le résultat de leurs explorations, cette référence semble être l'un des ressorts fondamentaux de l'œuvre même. L'utilisation de petites formes (dans les collages, les frottages et — grâce à la technique du grattage — dans les tableaux) qui ne viennent ni d'une vision directe ni d'une vision esthétique des choses, prend ici une signification supplémentaire. L'anatomie, la botanique, l'astronomie, la microscopie, les diagrammes techniques qui visualisent les recherches, apparaissent constamment et ouvrent à l'art des territoires nouveaux; ils ne se contentent pas de l'enrichir formellement, ils apportent aussi le message d'une réalité trans-optique pour la vision spontanée. Une vision relativisée grâce à la possibilité d'une vision imaginaire s'exprime d'une manière nouvelle dans ces tableaux. La fluctuation vient s'opposer à la vision fixe. La référence à Léonard de Vinci qui joue un

La puberté proche n'a pas encore enlevé la grâce tenue de nos pléiades / Le regard de nos yeux pleins d'ombre est dirigé vers le pavé qui va tomber / La gravitation des ondulations n'existe pas encore

20   La puberté proche... *ou* Les pléiades, 1921

rôle important dans les écrits de Max Ernst — il s'agit de la possibilité de projeter une représentation picturale sur un mur taché, sur un tas de cendres, sur des nuages et des ruisseaux — prend une signification qui va plus loin qu'un regard captant une forme dans un matériau amorphe et constituant ainsi une technique artistique. L'extension de fragments produisant un phénomène qui n'existe pas réellement et qui trouve en retour ses points de fuite dans des données vérifiables dans le réel, a pour but de nier ce qu'une interprétation univoque prétendrait apporter en matière de connaissance formulable.

L'utilisation d'éléments réels permet dès le début à Max Ernst — grâce à ce qu'il appelle lui-même la « merveilleuse aptitude » à rapprocher des réalités sans lien entre elles et à faire surgir une étincelle de ce rapprochement — de réaliser un tableau au-delà du tableau, qui va relativiser et détruire les images réelles prises pour point de départ. L'actif et le passif, un découpage sceptique de la réalité, l'élaboration d'univers visionnaires jamais vus, tout cela ne cesse de se produire. Bien des découvertes sont le fruit de sa perception poétique d'une nature qui le fascine. Le vertige de celui qui ne se perd pas dans la banalité du quotidien, le vertige qu'inspirent l'infiniment grand et l'infiniment petit, les facteurs d'indétermination des méthodes modernes de l'observation en physique, le sollicitent toujours. Il recherche les réponses à des questions qu'on ne peut formuler qu'à l'aide de catégories philosophiques, non à l'aide de catégories esthétiques. L'inquiétude qu'exprime son œuvre, les contradictions dans toute sa manière d'être révèlent bien une angoisse profonde, une soif de connaissance. A l'absence de foi, à l'esprit objectif de son temps il n'oppose aucune foi nouvelle, mais l'inquiétude que la pensée continue à introduire dans nos existences, dans l'être-jeté-dans-le-monde de l'homme que l'on formule ou évalue si banalement. L'un de ses amis n'était-il pas le physicien Werner Heisenberg, qui opposait au positivisme de la recherche l'impossibilité d'un savoir définitif.

Ce qui compte, c'est d'arpenter les marges de la compréhension dans cette œuvre, d'étudier la saisie logique, l'analyse de principes de composition et de structures récurrents dans les tableaux, les collages et frottages. Par leur aptitude à faire surgir une « étincelle de poésie » elles dépassent de loin ce qu'a réalisé l'art surréaliste. Ses œuvres planent entre le réel et le possible et en restent là. Dada, la déformation de la silhouette humaine, la métamorphose, le surréalisme, la tristesse, la décalcomanie et le cliché d'imprimerie, l'hallucination, les paysages cosmiques qui tendent vers l'infini, les forêts luxuriantes empreintes de tristesse : le déroulement de cette œuvre, les tentatives, les reniements, les recommencements nous éblouissent et nous impressionnent durablement.

Traduction : Eliane Kaufholz

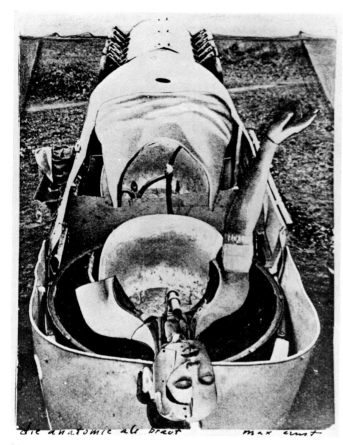

die anatomie als braut   max ernst

21   Anatomie jeune mariée, 1921

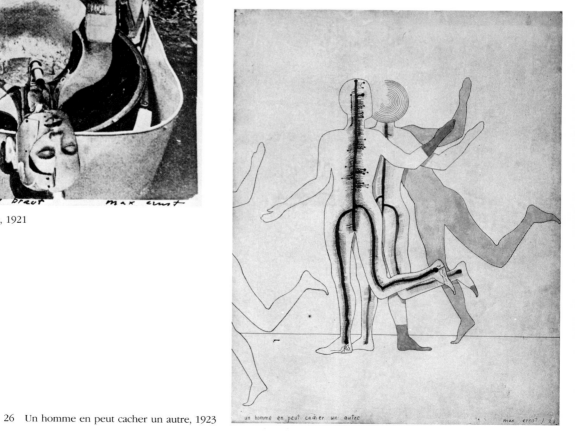

un homme en peut cacher un autre   max ernst / 23

26   Un homme en peut cacher un autre, 1923

22
Sans titre (Dada),
c. 1922

25
La femme chancelante,
1923

31   Sans titre, 1925

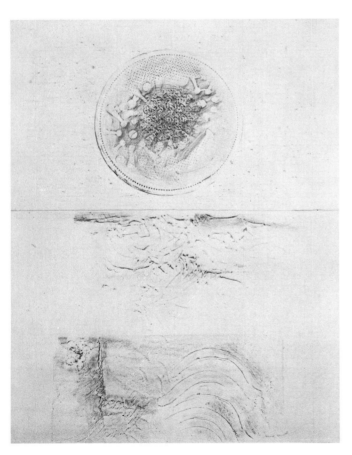

32   Tremblement de terre, 1925

34   Les deux sœurs, 1926

27   Femme, vieillard et fleur, 1924

Max Ernst, l'arbre-neige

Dans les espaces arides et battus des vents de la Patagonie et de la Terre de Feu, l'officiant d'un rituel magique se vêt et se masque d'une étroite et complète tunique semée de taches blanches — sont-ce les uniques fleurs? — et ces hommes, aux dires des grands voyageurs du passé, parmi les plus déshérités que la Terre ait portés, surgissent ainsi dans l'air glacé comme des êtres inouïs, constellés de neige.

Dans l'autre hémisphère, dans l'autre monde, le nôtre, au temps des chaperons, des voûtes sombres et des cliquetis d'acier, la *Sainte Ursule* de Barthel Bruyn l'Ancien, une flèche tenue entre deux doigts de sa main gauche, tourne vers elle-même son regard perdu. Plus près de nous encore, en 1939, avec *L'habillement de la mariée,* Max Ernst fait jaillir du manteau de plumes, de fourrures et de visions d'un effrayant rapace le corps blanc et pudique de la jeunesse femme.

Les paysages, les ombres portées des rochers sous la lune, les ondoyantes et mugissantes écumes de la mer nocturne bercent dans leur sein les vertiges profonds. La grâce, la découverte sont toutes pleines de malices. En poésie, elles étaient déjà en la forêt de Dunsinane, la forêt factice des violents hommes d'armes camouflés de branchages qui, toute peinte qu'elle soit, mouvante vient trancher le destin de Macbeth. Elle qui réalise la prophétie des sorcières, l'ambigu de la parole cachée. Macbeth est homme, il songe en homme et au pouvoir des hommes. Mais la horde hirsute qui se détache du bois le rappelle à l'indistinct de sa forme, à la tache indélébile qui émane du meurtre, au sang dont il a bouleversé le cours et qui le bouleverse à son tour. Et cette apparition «provoquée par une ficelle...», et cet *Oedipus-Rex,* dans le calme terrible du heaume gigantesque tombé au milieu de la cour du château d'Otrante de Walpole, sont-ils au cœur même de ce destin, de cet événement fortuit toujours renouvelé — la vie — que les hommes peuvent deviner mais dont ils ne sauront rien?

La peinture métaphysique de Chirico a certainement beaucoup impressionné Max Ernst, elle l'aura en tout cas débarrassé de toute tentation de peindre d'après sujet, de ne pas suivre à corps perdu, comme une nécessité, l'interprétation des signes, de ne pas se couler avec étonnement dans la correspondance magique, gothique et romantique des choses. Mais c'est aussi l'énigme et l'impérieux appel de toute poésie qui l'aura mené à cette superbe indifférence envers tout ce qui n'est pas vision, spectacle intimement ressenti, élargissement de la faculté d'écoute des sens, jeux d'ironie et d'épouvante. Car la pensée de la parole cachée est au cœur de toute poésie. Et cette poésie sauvage, pressante comme un cauchemar, surgit du mouvement des feuillages, de l'agitation des herbes, des bruissements de plumes et des rumeurs de la ville, saisie comme une contrée en soi. Ce frémissement est aussi cela qui est en nous, cela qui est l'amour, «toutes ces ruisselantes averses qui nous pénètrent», comme dit le Faust de Grabbe.

Si le thème historique et ethnologique du Roi du Bois, ce prêtre-mage du lac de Nemi dans l'Antiquité romaine, qui ne pouvait tenir sa fonction que du meurtre accompli sur le précédent titulaire et qui devait s'attendre dans le même bois à être tué à son tour par quelque esclave fugitif aspirant à la même charge, si ce monde crépusculaire du Roi du Bois, a pu inspirer à J. Frazer toute l'immense recherche du «Rameau d'Or», c'est une réflexion semblable qui s'instaure pour trouver le fil de l'œuvre de Max Ernst.

Par cela même qu'elle a été un jeu avec les éléments, qu'elle a relevé leur pénétration dans l'inconscient, qu'elle s'est «mariée avec le vent», comme elle a été l'écoute obstinée des veinures et des nœuds de planchers délavés, elle existe, elle est, elle est un tracé ineffaçable dans le monde de la poésie, un acquis irremplaçable comme peut l'être celui d'un effort cosmologique; mais puisqu'elle est conception, elle l'est non du monde mais d'*un* monde. La peinture, la sculpture n'atteignent pas à l'universel, elles en indiquent l'épaisseur.

Parti des bords du Rhin par une nuit transfigurée, Max Ernst a cheminé vers l'ouest avec sa horde de barbares — étaient-ce déjà des fantômes, des lambeaux de rêve arrachés à la lune, au sentiment inconnu de ses pierres, au feulement du lion du désert, ou bien

24
Ubu impérator,
1923

simplement des femmes et des hommes vivants que le besoin de voir au-delà du sensible, ou de rendre compte d'une plénitude entrevue d'être, exaltaient et métamorphosaient? L'hagiographie, les exégèses cachent essentiellement ce besoin; elles prennent comme données positives, comme objets d'un émerveillement passif cela qui est en train de se faire. Pénétrant dans le Musée Wallraff-Richartz à Cologne, Max Ernst ne pouvait pas prévoir quelle durable impression ferait sur lui les peintures infernales de Stefan Lochner, pas plus que nous ne pouvons prévoir comment réagira devant les *Jardins gobe-avions* ou *L'Europe après la pluie* quelqu'un qui vient aujourd'hui seulement à la peinture, mais avec la fraîcheur exigeante de l'imagination. C'est pourtant là l'essentiel de l'esprit des mystères, qu'ils soient d'Eleusis ou de Saïs selon Novalis : concevoir la forme infinie qui, échappant aux événements locaux dont nous sommes chacun tributaires, permet à toute sensibilité nouvelle de lier les mondes, de franchir, ne fût-ce qu'une fois, la limite réaliste de sa propre existence, d'aller vers l'extérieur et puis d'en revenir, d'oublier les positionnements relatifs de la conscience ordinaire et de la philosophie. Mais cet avant-langage qui nous habite au moment de toute découverte, cet avant-langage qui, appliqué à l'interprétation de la peinture, est aussi un au-delà de la peinture — pour employer le titre significatif de Max Ernst, cette indistinction du haut et du bas, du proche et du lointain, du contour ferme du tracé et de la trace impondérable des feuilles décollées, est aussi le désert sans paroles de ce que le passé dans son songe vivant a imprimé en nous.

Max Ernst est un peintre légendaire : il fait communiquer les règnes de la nature, les points cardinaux de l'espace, la forêt d'Altdorfer et les tables rouges du désert nord-américain, les djinns et le dessin des mocassins. Le naturel avec lequel il a salué ceux qui dans le passé ont été ses poètes et ses peintres favoris, l'élégance avec laquelle il a relevé, tout féru de philosophie qu'il fût, « la nudité de la femme plus sage que l'enseignement du philosophe », le vol non-euclidien de ses mouches, ses *Microbes vus à travers un tempérament,* prennent place dans une réflexion sur les images, l'intellection et le songe qui, pour utiliser la peinture, le collage, la sculpture, l'identification mythique et le dédoublement, l'*éloignement* de la personnalité (ainsi le rêve délicat, ironique et cruel du personnage de *Loplop, le supérieur des oiseaux*), le génie cultivé des titres, comme des moyens privilégiés, ne se tient renfermée dans aucun d'entre eux, vit obstinément plusieurs vies et plusieurs niveaux de vie, échappe à toute qualification qui ne soit pas une provocante rêverie, qui ne soit pas stimulation et éveil, envol de l'infinitude des formes.

Dada, dont il fut spontanément un des initiateurs, le surréalisme dont il fut une figure marquante, puis les voies séparées de chacun qui ont succédé à ce qui fut un état d'esprit, un mouvement d'idées, une exigence de plaisir, puis un groupe, puis un éclatement, ont sans doute été des moments significatifs de la vie et de l'œuvre de Max Ernst. Etre l'un des protagonistes, l'un des jouteurs dans le siècle, cela laisse si peu indifférent — et jusque dans la vie privée — que l'on ne peut s'approcher sans émotion d'une telle conception passionnée des actes. Mais aujourd'hui que le temps a dispersé ces violences et ces farouches désirs-là, qu'il a estompé le contour des enjeux, que malgré « son refus absolu de vivre comme un tachiste » souverainement exercé jusqu'à la fin, c'est cependant une œuvre, un pays refermé, qu'un regard neuf aborde, et non un homme et le parcours en lui de l'énergie créatrice, quelle est la force première qui sourd, qui irradie de Max Ernst ? De ce monde *surpris* par un impératif physique et moral, de ce dépaysement raisonné, de cet air du temps captif — combien Max Ernst a concentré la gravure et l'esprit du XIXᵉ siècle, en en détournant l'objet, dans ses livres de collages, au point de réaliser comme le meilleur de ce temps et de son écriture —, de ces monstres zoomorphes et minéralomorphes, de cet essaim d'abeilles et de ces mondes en cage, la « pêche au soleil levant » rapporte le butin d'une anthropologie.

L'inquiétante étrangeté (*das Unheimliche* des contes, diraient les Allemands) de l'œuvre de Max Ernst ne s'est heureusement pas dissipée comme un cauchemar au bienheureux réveil. Max Ernst a trop fait concourir de mondes et de concepts, il l'a trop apprivoisée lui-même avec les accommodements de l'humour et de l'amour, pour que, elle, la sublime, la terrible, l'évanescente inquiétude des choses, s'efface si facilement.

Dans le temps présent, quand les territoires de l'imaginaire semblent être devenus, d'un consentement presque unanime, des territoires de relégation, quand la ferveur des foules semble être de se consacrer à sonder le connu, à inventorier, à conceptualiser, non à vivre et à voir, le primat de l'imaginaire et du *Witz* poétique, du trait d'esprit conçu comme un effort et un dévoilement, auquel s'est tout entier abandonné Max Ernst paraît refluer avec la mer. Mais une œuvre est un reptile, elle se replie pour mieux bondir. Une œuvre souveraine est pareille à ces villes de rêve, à ces sites, à ces jardins secrets, où l'on revient toujours dans le courant des nuits. D'autres fois, et dans le même sens, il s'agit de la même maison d'angoisse que l'on se retrouve hanter. La maison du golem.

Les grands poètes ont leur grande maison. Cette maison, ce lieu que nul autre ne pourra plus véritablement habiter, à moins qu'il n'ait été un familier, un inspirateur, ou une sorte de famulus, un caniche proche du diable et comme son émanation, ils la trouvent ou ils la créent. La route de la vie, son abjection et ses délices profonds, se ramasse; elle vient à porter un titre, un titre, est-ce une raison? Le langage s'obscurcit, plusieurs fois. Pour le dénouement et pour nouer de nouveau les fils, les êtres inventés, les forces identifiées dans l'épaisseur des choses ne se dissolvent pas, ce qui a une fois surgi dans un émerveillement continue imperturbablement sa course incréée, sa seule nouveauté est d'être devenue repérable, de se re-présenter en comète à l'appel de la mémoire. Dans l'espace simple de nos sens immédiats, l'écho des œuvres, de siècle à siècle, de contrée à contrée, est notre approche du grand retour.

Il existe de grandes traces. Traces de la magie primitive du monde, traces du souffle dans l'air de la poussière du monde, traces d'un moment, saisies puis reprises, puis lancées. C'est un art que celui de savoir lire les traces. C'est un impérieux besoin aussi. Dans la mémoire le monde rebondit avant de s'apaiser.

A l'instar de la maison de Sedona, en Arizona, construite de ses mains, de celles de Dorothea Tanning et de quelques amis, les hauts plateaux rehaussés de montagnes, les architectures de coraux et d'algues, sous un ciel soudain plus bas, plus tangible, plus proche, auront sans doute été quelques-unes des maisons de Max Ernst. Le désert, les ondulations fluides des herbes, ces portes ouvertes à l'imagination initialement stérile, favorisent-ils vraiment l'envol de ce qui n'est plus vraiment, de ce qui n'est pas encore? De la tête frôler les cieux, de la tête sentir soudain que le bas, l'animal du rêve, touche de très près au règne de la raison, au haut de ce que l'on croit épuré? Il faut crever la surface de l'eau, la croûte des nuages pour parvenir à soi et c'est ce qu'exige l'immémorial lorsqu'il veut s'exprimer.

28
M *ou* La lettre *ou* Portrait,
1924

30   Les 100.000 colombes, 1925

35
Gulfstream
ou Mer et oiseau,
1926

43   Loplop, le supérieur des oiseaux, 1928

36
Famille,
1926-1927

40
Monument
aux oiseaux,
1927

Max Ernst ou l'envahi

Si quelqu'un, comme il le faudra un jour, décidait de devenir le Vasari de l'art moderne, l'on verrait forcément reproduit au chapitre «Max Ernst» de ces nouvelles *Vite dei piu eccelenti architteti, pittori et scultori...* non plus seulement italiennes mais mondiales, le récit de la découverte du frottage, tel que Max Ernst lui-même le raconte dans *Au-delà de la peinture* : «Le 10 août 1925... me trouvant par temps de pluie au bord de la mer, je fus frappé par l'obsession qu'exerçait sur mon regard irrité le plancher, dont mille lavages avaient accentué les rainures. »

Ce récit de lui-même se donne comme une sorte de légende. Il fixe un point dans l'espace, quelques objets, un homme. Tout est daté, marqué, précis — comme si un «il était une fois» était à l'origine même du geste artistique et avec lui à l'origine de tout geste : une vie ressemblante où l'art n'est que l'accès à cette ressemblance. Sans trembler, la vie même, passée au tamis, devient de la poudre. Au sein du grand art moderne déjà légendaire et parmi tous ceux qui l'ont fait à la fois surgir, être, et devenir ce qu'il est désormais dans notre mémoire, Max Ernst se détache, et justement du côté de la légende.

Qu'est-ce que la légende, ou l'aspect légendaire des choses, sinon ce qui tire la parution du neuf vers la magie? Et qu'est-ce que la magie sinon la croyance dans le pouvoir des signes? Et que sont les signes, sinon d'abord des *effets* de cette croyance?

Signes, magie, croyance : Max Ernst ne fut pas religieux, il le fut moins que tous. Mais des premiers gestes dadaïstes aux dernières œuvres se maintient le fil continu d'une présence aux choses qui en fait passer le sens dans les formes à la fois rituelles et désinvoltes de l'apparition. A aucun moment pourtant n'est exaltée dans l'attitude ou dans les textes — dans ces «écritures» qui accompagnent l'œuvre — le «pouvoir créateur» de l'artiste qui sortirait des limbes par le seul pouvoir de son esprit ce qui auparavant n'était rien. Bien au contraire : selon son mode propre, et avec une insolence inquiète, Max Ernst, au sein même de la théorie surréaliste de l'auteur passif, est celui qui assiste aux choses, il est le « nageur aveugle » qui se laisse porter par les courants au sein du fleuve qu'il a pressenti. Ce qu'il voit naître sous sa main, il n'a fait que le provoquer, que l'attirer en le guettant.

De ce guet comme forme suprême de distraction, les *inventions* de Max Ernst dérivent. Mais elles dérivent pour lui comme une « histoire naturelle » dont il n'est que le traducteur à un moment donné — et ce moment donné de la création est la forme de l'attention à la fois magnifiée et surprise — cette « distraction » même qui prête aux signes la volonté du sujet. L'artiste prête sa main mais pour retenir ce qui a lieu d'abord hors de lui ou bien en lui mais dans une région qui échappe à son contrôle. La posture triomphante du démiurge est retournée par une philosophie à la fois spontanée et réfléchie où l'artiste est tout sauf celui qui conquiert : il ne découvre des espaces vierges qu'au prix d'un envahissement dont il est le suppôt. Ce n'est pas une souffrance, cela le ferait plutôt rire, même si de l'effroi vient.

Et tout au fond, là où la vieille forêt germanique agite sa pesanteur ramifiée une gaieté subsiste, parce que l'aventure solitaire est posée sur le sol comme une tête d'indien écoutant : comme si l'esprit n'était plus qu'une sonde, ce qui écoute ce qui vient, le bruissement de la forêt réelle imaginée apparaissant comme le silence même où d'infimes échos vont appuyer sur la peau de la toile ou du papier.

Dès lors, ce qui vient en une telle écoute ne peut être qu'une profusion. Comme la voix même des choses qui se froissent en silence : là, juste derrière les yeux, là dans l'autre pièce où quelqu'un dort, là, sous la paume. « L'univers parle, tout parle. » Ce que disait Novalis, Max Ernst le fait venir. A partir de signes, de signes qui sont des riens : des décollements infimes dans une masse endormie, des sauts de côté dans une danse distendue, le déraillement d'un train minuscule dans une région lointaine. Pampas au pied de *La ville entière* ou duel de ficelles devenues des chevaux, corps de femme-lit de fleuve, oiseaux et créatures, visions du réel jamais rejoint et pourtant touché dans la nuit.

37   Forêt sombre et oiseau, 1927

39   La horde, 1927

Cette profusion fut une puissance, un bonheur. Le mouvement qui la libéra ne voulait pas seulement des œuvres, il voulait d'abord rejoindre le cheminement intérieur, à la fois hagard et souverain, qui les faisait, qui les laissait venir. Les œuvres sont des traces, elles racontent leur formation. On connaît les « repentirs » de l'art classique, ces beaux gestes oubliés qui peuplent les esquisses. L'art moderne est comme la libération du repentir, une esquisse perpétuelle, et si l'œuvre se dit l'opéra — une sorte d'ouverture permanente que des arias déjà viendraient visiter. Dans cette ouverture, aucun artiste n'est un instrument, il est à chaque fois tout l'orchestre, la montée du son, et le silence qui accueille.

Et dans cette intensité déroutante, Max Ernst est sans doute celui qui accorda le plus d'attention à l'étendue. Il n'y a plus aucune différence pour lui entre surface et profondeur : la surface est la peau où apparaît la profondeur, elle est le tissu de la respiration des signes. Ce qui était tenu à l'intérieur s'en va librement par des pores : le « créateur » se décide comme l'être de la perméabilité. Et c'est pourquoi il nous faut revenir au frottage. S'il n'est pas la seule invention de Max Ernst, s'il n'est pas, loin s'en faut, la seule technique qu'il ait utilisée, au-delà de lui-même il fournit pourtant la métaphore de toute l'œuvre : qui détruit la réputation spectaculaire du monde intérieur pour lui donner la simplicité aiguë d'un déplacement dans la pénombre, qui inscrit les visions du sens interne dans un plan de consistance qui est celui de l'extériorité même ; au départ, mais c'est le départ qui compte, puisque par lui se libère l'incursion : des lames de parquet, des ficelles, des feuilles d'arbres, du pain rassis, du carton gaufré, des choses identifiables et d'autres qu'on ne reconnaît pas, mais des choses : sans valeur et qui traînent dans l'atelier, dans le jardin, dans la rue. L'art moderne nous a certes habitués au rachat de ces débris, que Schwitters a portés au degré d'un raffinement lyrique extrême, dont Miró a fait les complices d'une statuaire étonnante et monumentale — mais dans la grisaille même du frottage, à la fois tels quels et déjà disposés pour le sens, couchés littéralement par la mine de plomb sur le papier, ils deviennent la réserve d'un monde secret, qui n'est que le monde même. Jamais peut-être le surréalisme n'a atteint cette absolue transparence du devenir des choses librement déployé, où la tonalité imaginaire n'est qu'un pas de côté ou bien une décision que le réel lui-même attendait en silence. En face de ces dessins qui ne sont pas « dessinés », en face des peintures qui en reprennent les textures resurgit la question très violente qu'Antonin Artaud posa à

André Breton au lendemain de la Seconde Guerre mondiale : « Car si le surréalisme n'était pas réel, à quoi bon ? » Et c'est cette teneur en réalité, conjurant la menace d'une évanescence que le surréalisme faisait peser sur lui-même, qui donne aux œuvres de Max Ernst, tout entières comprises pourtant dans les vagues successives d'un déferlement de l'imaginaire, la force qui est la leur et qui les fait échapper au climat pesant d'une imagerie « fantastique » comme aux grâces au contraire légères d'une joie purement formelle.

C'est bien peu dire : car si le monde ainsi libéré n'est ni une simple fantasmagorie, ni un système formel, cela veut dire que quelque chose, entre le réel et l'imaginaire, a été atteint. Cela veut dire qu'une approche insoumise, sans rien dévaster pourtant, a atteint ce point extrêmement ténu où l'intervention de l'art n'est plus que la marque d'un point de vie très dense, que ce qui désigne l'appartenance du vivant à la mesure du sens. La validité même du sens que l'art indique n'est pas orientée. Le sens est nu, il ne dit d'abord rien, rien que lui-même, soit de l'intensité, un pur extrait, une faille de la répétition. Réseau d'indices formant un récit — et le récit, c'est sa limite indépassable, ne peut être que celui d'un individu. Mais si l'individu, en l'occurrence Max Ernst, a tellement été conscient de la clôture du sens à l'intérieur de la zone d'écoute que la finitude lui assignait, il a cherché à ruser : à repousser sans fin cette limite, à entrer sous la peau du monde. De même que mille lavages avaient accentué les rainures du parquet de la chambre aux frottages, mille ruses ont maintenu ouverts les pores par lesquels l'écoute pouvait se maintenir. Ces ruses sont des travaux, ceux du « chantier du palais total en perpétuelle formation » comme le dit Matta à propos de son propre « work in progress ». Sur ce chantier l'imaginaire et le réel sont devenus des pôles instables, qui comptent moins que les échanges d'énergie passant de l'un à l'autre et la « réussite » de l'œuvre à la fin réside dans la quantité d'énergie captée pendant l'orage. L'orage : ce qui a mis le jour dans la nuit et la nuit dans le jour, ce qui a mis dans le ciel ce qu'on voit dans les tableaux de Max Ernst : une électricité qui n'appartient qu'à lui parce qu'il a su justement qu'elle ne lui appartenait pas.

« Un beau tableau ne peut naître que parce que l'invisible paroi qui séparait le monde idéal et le monde réel tombe, ce qui découvre complètement les figures et les régions du monde de la fantaisie dont on ne voyait jusqu'alors que de vagues lueurs »*, écrivait

42   La chimère, 1928

Schelling en 1800, comme s'il avait eu la prémonition d'un art à venir. La chute de cette paroi invisible, la peinture de Max Ernst en propage les effets à partir de la surface même des choses : l'invisible, pour être vu, ne doit pas être montré. Quelque chose glisse et s'abandonne, non pas en arrière, mais là, dans l'eau du fleuve, dans l'apparence même de tout ce qui dit « instable » dans « stable » et inversement. Mutinerie des indices et de la différence ; un « tremblement de terre très doux » passe la main sur le sol d'une chevelure sans intentions, qui ne dit mot, et consent. Le monde n'a pas bougé, il est pourtant tout autre. Ainsi en va-t-il du rêve et du demi-sommeil, ainsi en va-t-il de ces états de conscience différents sur lesquels le surréalisme a mis la main. Expression que dans le cas de Max Ernst il convient de garder en son sens littéral, tant demeure tactile, vraie, la parution chez lui de l'insolite. Du plus simple frottage aux grandes compositions, le mouvement demeure identique, qui libère comme innocemment les figures. Si composites qu'elles puissent être, elles gardent toujours un pied dans le hasard, dans la fuite en avant qui décide de leur venue : la provocation de leur apparition relève d'un « laisser surgir » qui à la fois les maintient dans la matière de cette fuite — tourbe d'origine incrustée de coquillages — et les jette en avant dans la peur.

Si la portée de l'œuvre de Max Ernst prise dans son ensemble la déploie sous nos yeux comme le film d'un gai savoir discontinu et hanté de sursauts mais fidèle à une sorte d'éclat de rire initial, c'est aussi dans la mesure où le « monde de la fantaisie » libéré par elle ne se déroute pas devant le caractère parfois effrayant de ce qui en lui se suggère. Le lien de la grande fresque figée qu'est *L'Europe après la pluie* à la Seconde Guerre mondiale ne doit être ni exagéré ni passé sous silence ; mais déjà l'atmosphère d'un monde ruiné, dégoulinant encore d'angoisse et de pluie, est éclairé par un soleil. La réponse du ciel bleu de l'Arizona au-dessus des sombres réminiscences est encore fragile et doit le demeurer. Il ne s'agit pas de toute façon d'une peinture d'histoire : nous savons simplement que les variations du ciel intérieur aussi accablent ou enchantent le paysage et qu'« à l'intérieur de la vue », très loin, n'habitent pas que des oiseaux charmants. La prouesse en tout ceci n'est pas à chercher du côté d'un éclairage unique mais réside dans la précision de ce qui à chaque fois est fixé : un monde hypersensitif où la pesée du sens, du sceau d'un soleil rayonnant à l'effondrement sur lui-même d'un nocturne effrayé, s'est donnée et se donne sous nos yeux comme une

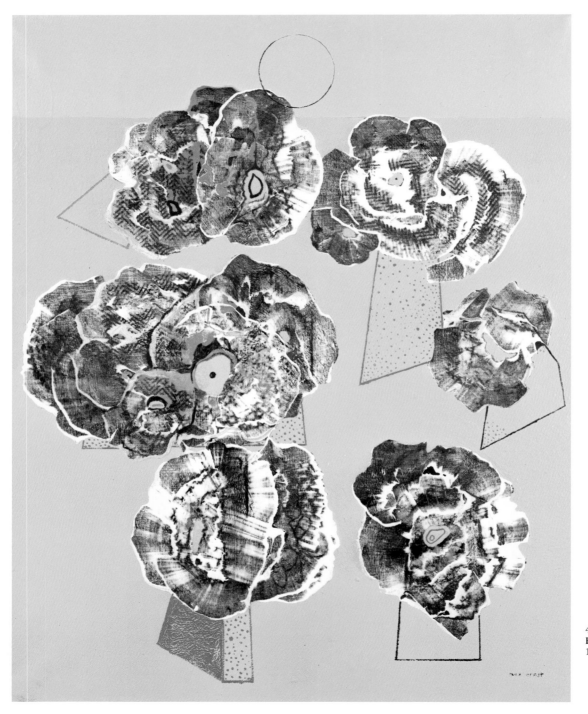

45
Fleurs sur fond jaune,
1929

traversée de la pensée par elle-même. *La révolution, la nuit* entame cette traversée qui s'achève avec les animaux criant des dernières gravures : nous sommes confrontés à une masse de signes unanimes et divers, forcés par la mort à ne plus se propager. Le *Fascinant cyprès* est immobile pour toujours, mais quelles que soient les voies que l'art ait pu prendre au-delà, et tout autrement qu'à la seule façon dont le serait un long chapitre de l'histoire de la peinture, cette masse, que surveillent ironiquement les sculptures de bronze, est vivante, est secouée. La visite réanime les froissements et les échos d'une présence qui sous nos yeux se réveille et se confond lentement, souverainement à l'éveil lui-même : le regard s'ouvrant au-delà d'une nuit transfigurée à tout ce qui a dû apparaître pour qu'il revienne au jour.

* Système de l'Idéalisme transcendantal (in Essais, Aubier 1946).

49   Le vol nuptial, 1930

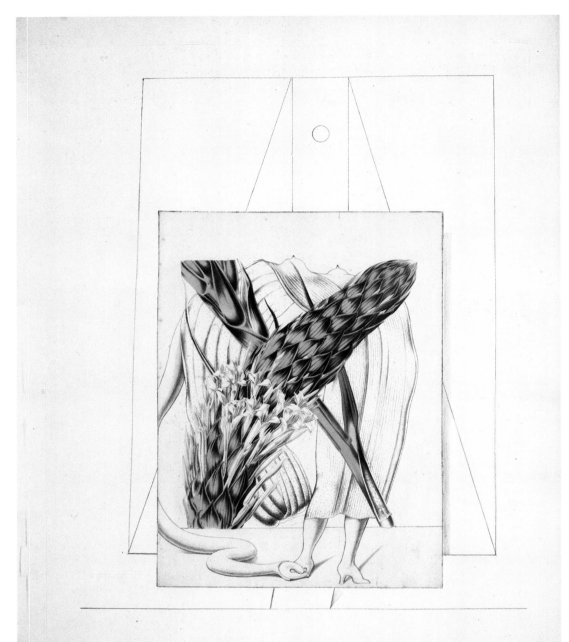

52 bis
Loplop présente,
1932

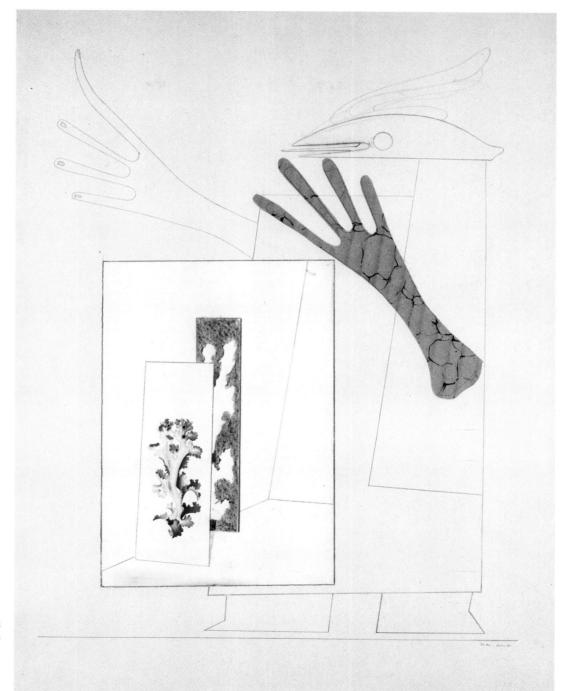

51 bis
Loplop présente,
1931

47 Collage original pour la «Femme 100 têtes», 1929

48 Défais ton sac, mon brave, 1929

52
Loplop présente
Paul Éluard,
1931

51
Loplop présente une jeune fille,
1931

50
Loplop présente
une fleur *ou* Figure
anthropomorphe
et fleur coquillage,
1930

53
Nageur aveugle,
1934

58 Jardin gobe-avions, 1935

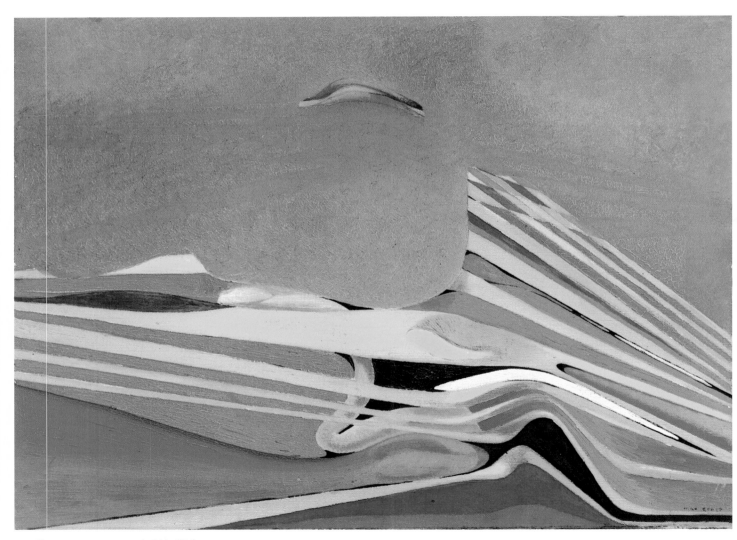

54   Paysage au germe de blé, 1934

62   Paysage au germe de blé, 1936

Biographie

1891-1897

Il ouvre les yeux, le 2 avril 1891, à Brühl, petite ville de la province rhénane, à mi-chemin entre Cologne et Bonn.

Ses parents :

Philippe Ernst, son père. De son métier : professeur dans une école pour enfants sourds-muets ; de tout cœur : peintre. Père très autoritaire, bel homme avec moustaches à la Guillaume II, catholique de stricte obédience, un peu taquin, mais toujours de bonne humeur.

Louise, née Kopp, sa mère. Jolie, bien faite, des yeux clairs ; blanche comme neige, pourpre comme sang, noire comme la mer Noire. Gentille ; un sens inné de l'humour et de l'art de fabuler.

1897-1908

Ecole communale et lycée à Brühl, avec tous les délices et toutes les horreurs du système guillauminien. Son âme sort indemne de ces épreuves.

1906

Lycéen, il parcourt à bicyclette la Rhénanie, l'Alsace, le Palatinat, la Westphalie, la Hollande, visite les musées, peint beaucoup devant et d'après nature.

1908-1914

Baccalauréat. Puis l'université de Bonn. Comme sa famille lui fait une obligation de poursuivre ses études, Max s'inscrit à la Faculté des Lettres de l'Université de Bonn.

Max participe aux expositions de « La Jeune Rhénanie » et, en 1913, au premier Salon d'Automne allemand, importante manifestation internationale organisée par Macke et son ami Kandinsky, présentée à Berlin par la revue *Der Sturm* (« La Tempête »).

Une aubaine

Un de ses bons amis de lycée pour lequel la seule possibilité d'accrocher chez soi un beau nu masculin (sans choquer madame sa mère) était de le faire sous un prétexte religieux. Un saint Sébastien ferait l'affaire. Une crucifixion la ferait encore mieux. Il offrait un prix qui paraissait fabuleux à Max. Sa décision était prise : voir Paris. Il y trouve gîte à l'hôtel des Ducs de Bourgogne, dans la très agitée rue des Halles, loin des contacts avec les artistes, près du Caveau des Innocents. Trop heureux de sa liberté, il se grise aussi bien des mille merveilles de cette ville que de la beauté sinistre de quelques quartiers (celui des Halles, par exemple).

Quant à la crucifixion peinte par Max pour un si noble motif, elle a trouvé acquéreur après le suicide de son jeune ami. L'acquéreur l'a offerte au musée de Cologne (le fameux Walraff-Richartz Museum) où maintenant encore elle est exposée.

« Je fis connaissance de Arp à Cologne, en 1914, dit encore Max dans ses *Souvenirs rhénans*, dans une galerie d'art, la Galerie Feldmann, où étaient présentées des œuvres de Cézanne, Derain, Braque, Picasso et autres peintres de l'école de Paris. »

1914-1917

Max est mobilisé. Artillerie de campagne. Quatre mois de caserne à Cologne, puis ouste ! En plein merdier pendant quatre ans.

1917

Une lueur dans les ténèbres

Elle vient de Zurich, juste à point. Dada est né.

1918

Ouverture d'une maison Dada à Cologne

En « permission de mariage ». Épouse Louise Straus, qui est suppléante du directeur au Musée Walraff-Richartz à Cologne. Un fils, Jimmy, aujourd'hui peintre, en naîtra.

Dès l'armistice, Max Ernst est démobilisé. Il reste à Cologne où s'ouvre une Maison Dada. Dans le même temps, Max établit des contacts avec les milieux subversifs de Munich, de Berlin et de Zurich.

1919

Un jour de pluie, à Cologne

En 1919, Max rend visite à Paul Klee, à Munich. Il y apprend que Hans Arp séjourne à Zurich. Il rencontre Baargeld et retrouve Arp à Cologne.

C'est à ce moment que Max Ernst remarque, dans un numéro de la revue italienne *Valori Plastici*, des reproductions de toiles « métaphysiques » de Chirico. En hommage à Chirico, Max Ernst compose un album de huit lithographies : *Fiat modes, pereat ars*, publié aux dépens de la ville de Cologne (« Allocation de chômage »). Au même moment, il illustre le recueil de poèmes *Consolamini*, de Johannes Th. Kuhlemann, et réalise ses premiers « collages ».

Cette même année, en effet, un jour de pluie, à Cologne, le catalogue d'un fournisseur d'articles scolaires attire son attention. Il s'y trouve des annonces de maquettes touchant à toutes sortes de disciplines : mathématiques, anatomiques, minéralogiques, paléontologiques et autres. Éléments de nature si diverse que l'absurdité qui se dégageait de leur accumulation trouble son regard et ses sens ; suscite des hallucinations et donne aux objets représentés des sens nouveaux qui changent rapidement. Max Ernst sent ses « facultés visionnaires » si soudainement accrues qu'il voit apparaître sur un fond inattendu les objets qui venaient de naître. Pour fixer ce nouveau fond, un peu de couleur ou quelques linéaments, un horizon, un désert, un plancher ou toute autre chose suffisaient. C'est ainsi que son hallucination se trouvait fixée. Il s'agissait maintenant d'interpréter, à l'aide de quelques mots ou phrases, les résultats de ces hallucinations.

Novembre 1919

Précoce printemps dada à Cologne

La « Société des Arts » fondée par Karl Nierendorf organise dans les salles du Kunstverein une exposition des « tendances nouvelles ». Baargeld et Max, que les organisateurs ont imprudemment invités, saisissent l'occasion par les cheveux avec une joie non dissimulée.

1920

Arp est là ! Conjuration dans la Maison Dada ; fondation de la Centrale W/3 pour les idiots de l'Ouest, 3 pour les 3 conjurés : Hans Arp, J.T. Baargeld et Max Ernst. Et maintenant, hardi ! Munis de nos lourdes semelles de plomb, grimpons à la perche !

Palais vitrés

Le Syndicat des artistes de Cologne organise pour ses membres une exposition, sans jury, dans le hall vitré du Musée des Arts décoratifs, sur le boulevard périphérique de la Hanse. Le directeur du Musée, qui vient d'être nommé, est indigné devant les montages et les sculptures de Baargeld et de Dadamax. Une vive discussion s'engage avec le Syndicat des artistes. La Direction du Musée l'emporte : on enlève rapidement, avant le vernissage, les œuvres jugées indésirables. Bannis, les deux artistes louent, rue des Enseignes, dans la brasserie Winter, une autre cour vitrée, partiellement ouverte à la pluie.

1921

Une lettre de Paris

Témoignage de sympathie du groupe parisien Dada. André Breton a rédigé la lettre. C'est une proposition d'exposer à Paris les collages de Max Ernst. Max Ernst, qui a lu *Les champs magnétiques*, accepte, ravi. Le geste fraternel et courageux de Breton va décider peut-être de son avenir — courageux, car il fallait de l'aplomb pour présenter alors en France un peintre allemand. L'exposition a lieu, en mai, à la librairie «Au sans pareil». Breton préface le catalogue.

Grande manifestation Dada au vernissage. Protagonistes: Breton, Charchoune, Éluard, Dr Fraenkel, Péret, Ribemont-Dessaignes, Rigaut, Tzara. L'appel chaleureux de tant d'amis nouveaux va persuader Max que sa place est désormais à Paris, parmi eux.

Été 1921

Vacances et réjouissances dans le Tyrol

Avec Tzara, Arp et leurs amies respectives. *Dada au grand air* ou *Der Sängerkrieg in Tirol* (titre parodique de *La guerre des chanteurs dans la Wartburg* de Wagner), manifeste Dada rédigé par Arp, Max Ernst et Tzara, figurait parmi les réjouissances que nous nous étions permises. Rappel au sérieux par l'arrivée inattendue d'André Breton.

Paul Éluard à Cologne

A l'automne, Paul Éluard rend visite à Max Ernst, à Cologne. Tout de suite, une amitié qui durera. *Répétitions*, un recueil de poèmes d'Eluard avec des collages de Max Ernst, paraît «Au sans pareil», à Paris. Eluard achète deux toiles à Max.

1923

Expose au Salon des Indépendants. Puis il s'embarque pour l'Indochine, grâce à un passeport au nom de Gondolier,

fourni par Robert Desnos. Rendez-vous avec Paul et Gala Éluard à Saïgon.

1924

Paul et Gala rentrent à Paris et Max, à son tour, quelques mois plus tard. Le *Manifeste du Surréalisme* de Breton vient de paraître.

1925

Un parquet usé

De nouveau «travailleur occasionnel», et des perspectives bien sombres. Éluard, à nouveau, lui vient en aide. Mais, soudain, c'est le contrat inespéré avec Jacques Viot, «courtier en chambre» et aventurier. Viot a déjà «traité» avec Miró et, plus tard, sur les conseils de Max, passera un contrat avec Arp. Arp, Miró, Ernst: le trio qui, un quart de siècle plus tard, sera gagnant à la 27e Biennale de Venise. Max, à trente-quatre ans, peut enfin «travailler», et dans le calme, pour la première fois de sa vie. Pour la première fois, il loue un atelier «Aux fusains» (rue Tourlaque, à Montmartre).

Max passe les vacances à Pornic, petite plage sur la côte de Bretagne. C'est là qu'à la vue d'un parquet usé, il a l'intuition de ce que sera la technique du «frottage». Ainsi naît *Histoire naturelle* que, l'année suivante, publie Jeanne Bucher.

1926

Première grande exposition à Paris, à la Galerie Van Leer. Le catalogue contient — à la place de l'éternelle préface élogieuse — des poèmes de Paul Éluard, Benjamin Péret et Robert Desnos.

A la Galerie Jeanne Bucher, exposition des planches d'*Histoire naturelle*. Cette même année, Max Ernst réalise avec Miró les costumes et les décors pour un ballet de Diaghilev: *Roméo et Juliette*.

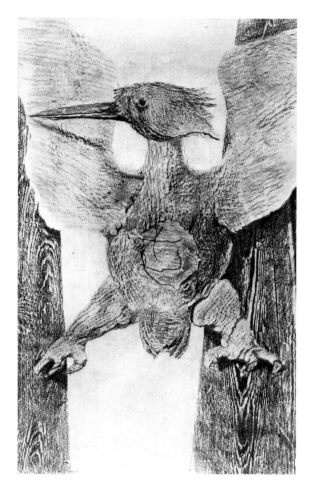

33 L'origine de la pendule, 1925

MM. Breton et Aragon font scandale lors de la première, au Théâtre Sarah-Bernhardt. C'est le premier conflit de Max Ernst avec André Breton.

1927

Une ficelle trouvée sur ma table

Vision provoquée par l'aspect nocturne de la porte Saint-Denis; Vision provoquée par les mots: «Le père

immobile»; *La Horde; Jeunes gens piétinant leur mère; Trois femmes traversant une rivière en criant; Trois jeunes filles en de belles poses*; etc. Tous ces tableaux de moyen format ont été exécutés pendant l'hiver à Megève qui alors était encore un modeste village, avant de devenir le centre sportif et élégant bien connu. C'étaient les premiers spécimens d'une nouvelle technique apparentée au frottage. Elle consiste à faire apparaître sur une toile préparée d'avance de couleurs claires et posée sur une surface inégale (un bout de ficelle par exemple), au moyen d'une spatule de maçon enduite de couleurs plus foncées, des lignes en transparence. La simplicité même! Encore faut-il savoir dans ce jeu optique trouver des signes aboutissant à des interprétations imprévues.

Vision provoquée par une ficelle que j'ai trouvée sur ma table était l'enfant aîné de cette technique.

Deuxième exposition chez Van Leer, à Paris, grande exposition à la Galerie Schwarzenberg, à Bruxelles.

Publication de «Trois visions de demi-sommeil», dans les numéros 9 et 10 de *La Révolution surréaliste*.

Cette même année, Max Ernst épouse Marie-Berthe Aurenche et loue une maison à Meudon. Le premier *Monument aux oiseaux* fut le dernier tableau exécuté «Aux fusains». Il sera exposé pour la première fois en 1928, à la Galerie Georges Bernheim.

1928

Grande exposition à la Galerie Bernheim.

1929-1930

Perturbation, ma sœur

La femme 100 têtes, roman contenant à peu près cent cinquante papiers collés avec un texte d'accompagnement et un «avertissement au lecteur» d'André Breton, paraît aux

Max Ernst dans le film
L'âge d'or de Luis Buñuel

éditions du Carrefour (seconde édition en 1956, à l'«Œil»; traduction allemande chez Gerhardt Verlag, Berlin). Le deuxième personnage important du roman: Loplop, le supérieur des oiseaux, prend de plus en plus de place dans ses œuvres.

Pour répondre à la demande de Luis Buñuel, Max accepte un petit rôle dans le film *L'âge d'or*.

Un deuxième roman-collages, *Rêve d'une petite fille qui voulut entrer au Carmel*, paraît aux éditions du Carrefour.

1931

A Paris, exposition de papier collés, à la Galerie Pierre.

Julien Levy acquiert une partie des papiers collés et en fait la première exposition dans sa galerie de New York.

1932-1933

Beaucoup de pierres, peu de pain

Exposition à la Galerie des «Cahiers d'Art», à Paris.

Cette année 1933, Max Ernst est mis sur la liste des proscrits du régime nazi.

1934

Taille directe

Une semaine de bonté, un nouveau roman-collages, paraît chez Jeanne Bucher.

Un été à Maloja avec Alberto Giacometti. Les torrents et les glaciers ne sont guère pressés de transformer en ovoïdes plus ou moins réguliers les pierres couchées dans leurs lits. Le frôlement des pierres entre elles et la force du courant se chargent de ce travail millénaire de taille directe. Le torrent qui se jette, près de Maloja, dans le lac de Saint-Moritz, est une mine inépuisable de ce genre de trésors. Alberto partage l'enthousiasme de Max pour ces chefs-d'œuvre.

1935-1936

Aux antipodes du paysage

En 1936, participe à l'exposition «Fantastic Art, Dada, Surrealism», au Musée d'Art moderne de New York.

Cette année 36, le peintre Oscar Dominguez inaugure, dans le cadre du surréalisme, une technique nouvelle, celle de la *décalcomanie*. Max Ernst applique cette technique à la peinture à l'huile sur toile. De nombreuses œuvres s'ensuivront, pleines d'une végétation luxuriante, de paysages imaginés de toutes pièces et de figures chimériques.

1937

Au-delà de la peinture

Publication d'«Au-delà de la peinture» dans un numéro spécial des *Cahiers d'Art*, consacré à l'œuvre de Max Ernst de 1918 à 1936. Le sous-titre «Histoire d'une histoire naturelle» indique qu'il ne s'agit pas d'une œuvre théorique, mais d'un récit qui pourrait s'intituler: «Comment j'ai peint certains de mes tableaux.»

Décors pour *Ubu enchaîné*, d'Alfred Jarry, mis en scène par Sylvain Itkine, représenté pour la première fois, à Paris, le

63   Le déjeuner sur l'herbe, 1936

22 septembre, à la Comédie des Champs-Élysées par la Compagnie du Diable écarlate.

Cette même année, à Londres, pendant la grande exposition surréaliste, à Burlington Gardens, Max fait la connaissance de Leonora Carrington.

1938

Outré par une exigence qui lui paraît monstrueuse — celle de s'engager à «saboter la poésie de Paul Éluard par tous les moyens possibles» — Max Ernst quitte le groupe surréaliste.

Il s'établit avec Leonora Carrington à Saint-Martin-d'Ardèche, près de Pont-Saint-Esprit, à cinquante kilomètres

66
Marlène,
1940-1941

au nord d'Avignon; achète une maison et la décore de fresques et de bas-reliefs. Il illustre la nouvelle de Leonora : *La dame ovale*.

1939

Un peu de calme

De nouveau la guerre. Max Ernst peint *Un peu de calme*. Mais bientôt, comme « ressortissant de l'Empire allemand », il est interné d'abord pendant six semaines dans la maison d'arrêt de Largentière, puis aux Milles, près d'Aix-en-Provence, où il partage une chambre exiguë avec le peintre Hans Bellmer.

Grâce à la démarche de Paul Éluard auprès d'Albert Sarraut, Max Ernst est libéré à Noël et rentre à Saint-Martin-d'Ardèche.

1940

Le train-fantôme

Au mois de mai, dénoncé par un sourd-muet qui l'accuse d'avoir fait des signaux lumineux à l'ennemi (l'ennemi se trouvait à 1 000 km, près de Dunkerque), il est amené, sur l'ordre du général Dentz, par la gendarmerie, menottes aux mains, d'abord à Loriol, dans la Drôme, puis de nouveau au camp des Milles près d'Aix-en-Provence.

Du camp de Saint-Nicolas, près de Nîmes, Max s'enfuit à Saint-Martin. Il est repris et de nouveau interné. Il s'évade une deuxième fois, au moment même où arrivent les papiers concernant sa libération.

Il vit grâce aux subsides que lui envoie son ami Joë Bousquet qui lui achète des toiles. Mais il est recherché par la Gestapo et décide de quitter l'Europe. De nombreux amis, parmi lesquels Alfred et Margaret Barr et son fils Jimmy, lui procurent une « offre d'asile » aux Etats-Unis, qui lui est transmise par Varian Frey, chef à Marseille de l'« Emergency Reserve Comittee ».

1941

En route pour les États-Unis, Max Ernst rencontre à Marseille André Breton qui cherche, lui aussi, le moyen de partir. Tentative de réconciliation. Fait à ce moment la connaissance de Peggy Guggenheim.

Liberté, liberté chérie

Le 14 juillet, Max Ernst arrive à New York et, à l'aéroport de La Guardia, son fils Jimmy est là pour lui souhaiter la bienvenue aux U.S.A. Mais, à peine descendu, il est arrêté par les autorités d'immigration et emprisonné à Ellis Island. (« Il relève du statut des sujets allemands. ») Très joli point de vue de sa nouvelle prison sur la statue de la Liberté, « The lovely lady ». Libéré trois jours après, Max Ernst voyage pendant de nombreuses semaines à travers les États-Unis : New Orleans, Arizona, New Mexico, Californie. Il décide de se fixer à New York, et essaie de s'adapter. Il y retrouve quelques amis et en

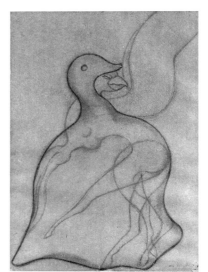

67
Dessin sur papier bistre,
1941-1942

fait de nouveaux. Accueil plutôt cordial de certains milieux intellectuels et des jeunes peintres qui, plus tard, représenteront l'école de New York.

Après Pearl Harbor, mariage de courte durée avec Peggy Guggenheim.

1942

View, magazine dirigé par le poète Charles H. Ford, consacre à Max Ernst un numéro spécial avec la collaboration d'Henry Miller, Parker Tyler, Amédée Ozenfant, André Breton et d'autres.

Expositions à New York, à Chicago et à la Nouvelle-Orléans, toutes trois des «fours» complets.

1943

Une bien heureuse rencontre

Celle de Dorothea Tanning. Il passe avec elle l'été et l'automne dans un archimodeste «guest ranch» de l'Arizona qu'Etiemble leur avait recommandé.

1944

Avec Dorothea Tanning, l'été à Great River, Long Island. Sculptures: *Jeune homme au cœur battant; Le roi jouant avec la reine; Lunatique; Un ami zélé*, etc.

1945

Le jour de l'effondrement du Troisième Reich (8 mai), vernissage à New York, chez Jucien Levy: peu de monde dans les galeries d'art, tout le monde occupé à fêter la victoire. Four complet.

Au lendemain de l'armistice, Paul Éluard organise à Paris, à la Galerie Denise René, une exposition en l'honneur de Max Ernst.

1946

Doubles noces à Beverly Hills, en Californie: celles de Dorothea Tanning et de Max Ernst, en même temps que celles de Juliet et de Man Ray.

1947

A Sedona. *Les phases de la nuit; Capricorne:* sculptures murales et jardinières.

Paul Éluard «illustre», avec des poèmes en prose, «aussi fidèlement que possible», une série d'anciens collages de Max Ernst et les publie, à Paris, chez Pierre Seghers, sous le titre de *A l'intérieur de la revue, huit poèmes visibles*. Max est heureux de ce témoignage d'indéfectible amitié.

Dernière exposition chez Julien Levy.

1948

(...) Exposition chez Knœdler, à New York, où Julien Levy l'avait «placé». (Inutile de dire que cette exposition est un four complet.) Max Ernst devient citoyen américain, non sans difficulté.

1949

Rétrospective à la Copley Gallery, à Beverly Hills. A cette occasion, la Galerie publie en un volume: *At eye Level: Paramythe*, de et sur Max Ernst. Collages et poèmes.

1950

Grande exposition à la Galerie René-Drouin, dont le catalogue est préfacé par Joël Bousquet et Michel Tapié. Pour la première fois sont exposées, à Paris, les œuvres américaines de Max Ernst (encore un four). Illustrations pour *La brebis galante* de Benjamin Péret, aux Editions Premières. La librairie La Hune fête l'événement en organisant une rétrospective de l'œuvre graphique de Max Ernst.

François Victor-Hugo, son fidèle ami, lui procure un atelier quai Saint-Michel, face à Notre-Dame. En octobre, retour à Sedona. Exposition à la Hugo Gallery de New York.

1951

Le doigt de Dieu

Loni et Lothar Pretzell, la sœur et le beau-frère de Max Ernst, organisent dans le château de Brühl, sa ville natale, une grande exposition rétrospective, destinée à célébrer dignement les soixante ans de l'artiste.

1952

Pendant l'été, Max Ernst fait une trentaine de conférences à l'Université de Hawaii, à Honolulu. Thème: *Traces d'influences des arts dits primitifs sur l'art de notre temps.*

A Houston, Dominique de Ménil organise avec le soutien d'Alexandre Iolas une exposition Max Ernst pour la «Contemporary Art Association».

1953

Impasse Ronsin

Max Ernst est de retour à Paris. Il travaille, impasse Ronsin, près de chez Brancusi, dans un atelier que le peintre William Copley a loué.

1954

Intermezzo

27ᵉ Biennale de Venise: à sa surprise, Max Ernst obtient le grand prix de peinture, avec Arp pour la sculpture et Miró pour les arts graphiques. René Bertelé a préfacé le catalogue.

1955

En Touraine

S'installe avec Dorothea Tanning à Huismes, près de Chinon, en Touraine.

A l'occasion de la publication de *Galapagos* d'Antonin Artaud, accompagné d'eaux-fortes de Max Ernst, il fait la connaissance de Georges Visat, graveur en taille douce. C'était le début d'une collaboration cordiale et généreuse dont le résultat culminant devait être le livre *Maximiliana* (typographie d'Iliazd, 1964).

1956

Rétrospective à la Kunsthalle de Berne. Franz Meyer préface le catalogue.

1957

Retour à New York par la route et à Paris par avion.

Au printemps, exposition chez Alexandre Iolas, à New York.

Grand prix d'Art de Nordrhein-Westfalen.

1958

Exposition à la Galerie Creuzevault, à Paris.

Chez J.-J. Pauvert, à Paris, paraît une biographie de Max Ernst par son ami Patrick Waldberg. La Hune consacre une exposition à l'événement.

Cette même année, Max Ernst devient citoyen français.

1959

Une petite monographie bien documentée d'Édouard Trier consacrée à Max Ernst, paraît chez Aurel Bongers à Recklinghausen. En novembre, rétrospective au Musée d'Art moderne de Paris, avec un catalogue réalisé par Gabrielle Vienne et préfacé par Jean Cassou.

Prix national des Arts et des Lettres.

1960

Mundus est fabula

Un livre de Max Ernst paraît dans la collection « Propos et Présence », aux Editions d'Art Gontier-Seghers, à Paris. Avant-propos de Georges Bataille : *Max Ernst philosophe !*

Le titre du livre : *La nudité de la femme est plus sage que l'enseignement du philosophe* avait déjà servi comme inscription sur un collage de 1921. Éluard l'a cité dans un poème dédié à Max Ernst, paru en 1932, dans son livre *La vie immédiate*.

1961

Des œuvres de toutes les époques du peintre (1909-1961), soigneusement choisies et réunies par William Liebermann, qui préface le catalogue, sont exposées au Museum of Modern Art, à New York. L'exposition devient itinérante, passe de New York à Chicago (Art Institute), et à Londres (Tate Gallery) à l'incitation du Arts Council of Great Britain.

La même année, deux expositions à Paris. A la Galerie du Pont des Arts, travaux d'orfèvrerie (masques, reliefs, figures) exécutés en collaboration avec son ami l'orfèvre François Victor-Hugo. D'autre part, toute l'œuvre plastique de Max Ernst (sculptures, reliefs, montages, etc.) de 1913 à 1961 se retrouve, dans la mesure où les pièces sont transportables ou n'ont pas été détruites, à la Galerie Le Point Cardinal. Catalogue très détaillé de Jean Hugues et John Devoluy, avec une préface d'Alain Bosquet.

1962

Le printemps à New York. Exposition à la Galerie Iolas.

Le 28 décembre de cette même année 1962, dans cette « sainte » ville de Cologne, ville qu'il a beaucoup aimée et beaucoup scandalisée, on rassemble, grâce aux soins du jeune Leppin et de M. Gert von des Osten des œuvres des différentes époques du peintre. Et l'on les offre à l'aimable contemplation d'un public dont le peintre se souvient plus ou moins, dans ce Musée Wallraff-Richartz, ce même musée où le petit Max, il y a de nombreuses années, a appris à connaître, à aimer Stephan Lochner, Jérôme Bosch et le Maître du retable de saint Barthélemy.

1963

Un essaim d'abeilles dans un palais de justice

L'exposition prend le chemin de Zurich, s'y installe.

Pendant le printemps de la même année, lors d'un séjour à Sedona, Max prend des empreintes de la sculpture (« monumentale ») *Capricorne* pour l'adapter à la fonte en bronze. Il l'exposera en automne à la Galerie Iolas. Une « erreur monumentale », diront les critiques d'art.

A la Galerie Der Spiegel (Cologne) paraît la première traduction allemande de *Les malheurs des immortels*.

A la bibliothèque municipale de Tours, puis à la Galerie Le Point Cardinal à Paris, exposition des « Écrits et œuvre gravé ».

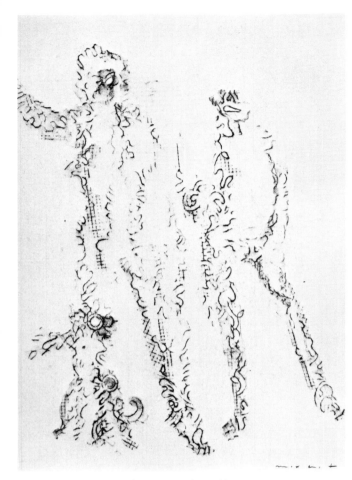

117   Dessin pour «Les chiens ont soif», 1964

1965

Après une rapide maladie, reprend la technique du collage avec une série de grands tableaux. Exposition de ces œuvres à la Galerie Iolas sous le titre «Le Musée de l'homme, suivi de la Pêche au soleil levant».

Enquête:
Pourquoi chantez-vous?
Pour qui chantez-vous?

Conclusion: *Refus absolu de vivre comme un tachiste.*

Exposition à la Hannover Gallery (Londres).

1966

Expositions au Jewish Museum, à New York, et à la Galerie Alphonse Chave, à Vence. «Au-delà de la peinture», au Palazzo Grassi, à Venise.

Illustrations pour *Logique sans Peine* de Lewis Carroll (Ed. Hermann, Paris).

1967

Chez Iolas: «Le Néant et son double».

Au Point Cardinal: *Paramythes*, un livre de collages et de poèmes (traduits de l'allemand par Robert Valançay).

La ville de Prague organise une exposition «Écrits et œuvre gravé». Cette exposition est présentée ensuite à Worpswede et à la Kunsthalle de Hambourg.

1968

Chez Alphonse Chave: «Déchets d'atelier, lueurs de génie».

A l'Opéra de Paris: *La Turangalila*, ballet d'Olivier Messiaen, avec des décors de Max Ernst et une chorégraphie de Roland Petit.

1969

Chez Iolas: *Journal d'un astronaute millénaire.*

Chez André-François Petit: Exposition de quelques-unes des peintures murales exécutées jadis par Max Ernst dans la maison de Paul Éluard à Eaubonne, peintures considérées comme perdues, mais redécouvertes et «sauvées» par A.-F. Petit.

Au Pont des Arts: *Dent prompte*, planches en couleurs de Max Ernst, avec des poèmes de René Char.

Stockholm: l'air lavé à l'eau

Septembre-octobre 1969: rétrospective aussi complète que possible — et de belle tenue — au Moderna Museet, grâce à la ténacité et à l'enthousiasme communicatif des organisateurs, Pontus Hulten et Karin Bergqvist Lindegren.

Exposition au Musée municipal de la ville Mühlheim-s.-Ruhr.

1970

Ecritures (Gallimard). Réunion en un volume de tous les écrits de Max Ernst (exceptés certains textes «dada», intraduisibles) par René Bertelé (Le Point du Jour).

Exposition itinérante de la collection Jean et Dominique de Menil, sous le titre *A l'intérieur de la vue*. Kunsthalle Hamburg, Kestner-Gesellschaft Hannover, Frankfurter Kunstverein, Akademie der Künste Berlin, Kunsthalle Köln. Terminus de cette exposition: le 2 avril 1971 à l'Orangerie des Tuileries (Paris).

1971

A la Galerie Alphonse Chave, à Vence, 45 lithographies uniques dues aux *Surprises du hasard*. Première présentation du livre *Ecritures*.

Le retour de la belle jardinière. Œuvres de Max Ernst de 1950 à 1970 choisies et interprétées par Werner Spies (Editions DuMont Schauberg à Cologne, et en traduction américaine chez Harry N. Abrams à New York).

Lieux communs (Editions Iolas). Album de 12 reproductions de collages (en couleurs) accompagnés de 11 poèmes de Max Ernst.

Décervelages. Paroles d'Alfred Jarry. Musique de Claude Terrasse. 9 lithographies de Max Ernst (Iolas éditeur).

1972

Brusberg Dokumente 3.

Max Ernst. Au-delà de la Peinture / Exposition au Kestner-Museum Hannover / Documentation presque complète et (en progrès) sur l'œuvre gravé, dessiné, frottages, collages, livres, etc., de Max Ernst.

Paysage marin avec un Capucin (tableau de Caspar David Friedrich). Textes de Heinrich von Kleist, Clemens Brentano et Achim von Arnim. Illustrés et traduits pour la première fois de l'allemand par Max Ernst (Editions Hans Bolliger, Zurich). Postface de Werner Spies.

Docteur honoris causa de l'université de Bonn.

34 litographies pour illustrer la *Ballade du soldat* de Georges Ribemont-Dessaignes. La maquette, l'impression des lithos et l'édition sont de Pierre Chave (Vence). Le livre sera exposé à la Galerie Berggruen (Paris) en 1973 et au Gotham Book Mart à New York.

Exposition de *Frottages et collages* au Kunstverein Krefeld, organisée par Ernst Fischer.

Endlose Spiele bereiten sich vor (Des jeux sans fin se préparent). Textes choisis par Werner Spies et Peter Schamoni. Mise en scène au Théâtre Münchner Kammerspiele (Munich). Avec l'acteur Günther Lüders.

Jean Tardieu. *Le parquet se soulève*. Six poèmes de Jean Tardieu accompagnés de six lithographies de Max Ernst.

1973

Déserts plissés. Texte de Jean Tardieu. 24 frottages et 2 lithographies de Max Ernst (Editions Hans Bolliger, Zurich).

1974

Perturbations, délices et orgues (Exposition chez Alexandre Iolas, Paris).

Festin. 12 lithographies de Max Ernst accompagnées de 12 poèmes de Pierre Hebey (Editions Pierre Chave, Vence).

Mon ami Pierrot. Bronze.

Werner Spies. *Collages de Max Ernst* (Editions DuMont Schauberg, Cologne). Livre dédié à Karl Gutbrod par Werner Spies et Max Ernst. Ce livre est sans doute le plus important et le plus compréhensif document concernant les nombreux problèmes de la technique (si facile!) et de l'esprit (si facile?) du collage.

Vacances. Solitude. Résultat: *Configurations* (Collages et frottages) actuellement exposés à la Galerie Jan Krugier à Genève.

Max Ernst dans les rues de Seillans

Graveur en taille douce, M. Georges Visat consent à rayer tous les cuivres des gravures exécutées dans une amicale collaboration avec Max Ernst.

1975

Une rétrospective de taille

Dès le début du mois de février jusqu'à la fin avril, grande rétrospective dans le Solomon R. Guggenheim Museum à New York. Diane Waldman, « Curator of exhibitions », n'a pas

seulement fait (en collaboration avec Max Ernst) le choix des peintures, sculptures et gravures, etc., à exposer, mais a aussi écrit la préface du catalogue, un chef-d'œuvre de préface.

Le *catalogue raisonné* (sur l'initiative de Jean de Menil). Les deux premiers volumes de l'*Œuvre-Katalog* (dont Werner Spies est l'organisateur) sont parus. Le premier volume, qui s'occupe de l'œuvre gravée a été exécuté par Helmut R. Leppien, le deuxième, les peintures, collages, etc., des années 1906 à 1925, a été mis au point par Werner Spies, Günter et Sigrid Metken.

Question finale

Max Ernst se permet de demander à ses sévères lecteurs et à ses douces lectrices s'il mérite la flatteuse appellation, à lui offerte par un des plus grands (et plus méconnus) poètes de notre temps (René Crevel):
«Le magicien des palpitations subtiles.»

1976

Max Ernst meurt le 1ᵉʳ avril à Paris.

Biographie établie d'après les *Notes pour une biographie* de Max Ernst parues dans le catalogue de l'exposition *Max Ernst* au Grand Palais, Paris, 1975.

Principales expositions après 1976

1977

Galeria Joan Prats, Barcelone
Seibu Museum of Art, Tokyo
Museum of Modern Art, Kobe

1979

Städtische Galerie im Lenbachhaus, Munich
Haus der Kunst, Munich
Nationalgalerie, Berlin

1982

Arts Council of Great Britain, Londres

1983

Fondation Maeght, Saint-Paul

61   La joie de vivre, 1936

65   Fascinant cyprès, 1939-1940

Bibliographie sélective

Principaux livres illustrés

Kuhlemann, Johannes Th. *Dichtungen.* Kairos Verlag. Cologne-Ehrenfeld, 1919.

Fiat Modes. Schlömilch Verlag. Cologne, 1919.

Les malheurs des immortels, révélés par Paul Eluard et M.E. Libraire Six. Paris, 1922.

Éluard, Paul. *Répétitions.* Au Sans Pareil. Paris, 1922.

Éluard, Paul. *Au défaut du silence.* Paris, 1926.

Histoire naturelle. Préface de Hans Arp. Jeanne Bucher. Paris, 1926.

La femme 100 têtes. Introduction par André Breton. Carrefour. Paris, 1929.

Rêve d'une petite fille qui voulut entrer au Carmel. Carrefour. Paris, 1930.

Arp, Hans. *Gedichte: Weisst du Schwarzt du.* Pra. Zurich, 1930.

Crevel, René. *Mr. Knife and Miss Fork.* The Black Sun Press. Paris, 1931.

Une semaine de bonté ou Les sept éléments capitaux. Jeanne Bucher. Paris, 1934.

Brzekowski, Jan. *Zacisniete dookota ust.* Wittenborn Schultz. New York, 1934.

Breton, André. *Le château étoilé.* Paris, 1936.

Péret, Benjamin. *Je sublime.* Ed. Surréalistes. Paris, 1936.

Carrington, Leonora. *La maison de la peur.* Parisot. Paris, 1938.

Carrington, Leonora. *La dame ovale.* G.L.M. Paris, 1939.

Éluard, Paul. *Chanson complète.* Gallimard. Paris, 1939.

Éluard, Paul et E.M. *A l'intérieur de la vue.* Seghers. Paris, 1947.

At eye level. The Copley Galleries. Beverly Hills, 1949.

Péret, Benjamin et E.M. *La brebis galante.* Les Editions Premières. Paris, 1949.

Carroll, Lewis. *La chasse au Snark.* Les Editions Premières. Paris, 1950.

Das Schnabelpaar. Ernst Beyeler. Bâle, 1953.

Artaud, Antonin. *Galapagos.* Louis Broder. Paris, 1955.

Paramythen. Galerie Der Spiegel. Cologne, 1955.

Hölderlin. *Poèmes.* Jean Hugues. Paris, 1961.

Leclercq, Léna. *La rose est nue.* Jean Hugues. Paris, 1961.

Les chiens ont soif. Avec un texte de J. Prévert. Au Pont des Arts. Paris, 1964.

Maximiliana ou l'exercice illégal de l'astronomie. Le Degré Quarante et un. Paris, 1964.

Parisot, Henri. *Anthologie poétique.* Pierre Belfond. Paris, 1969.

Ribemont-Dessaignes, G. *La ballade du soldat.* Editions Pierre Chave. Vence, 1972.

Écrits de Max Ernst

Ernst, Max. *Vom Werden der Farbe.* Der Sturm n° 5. Berlin, août 1917.

Ernst, Max. *Ecritures.* Gallimard. Paris, 1971.

Principaux ouvrages consacrés à Max Ernst

Max Ernst, œuvres de 1919 à 1936. Numéro spécial des *Cahiers d'Art* 6-7 (textes de Breton, Éluard, Péret, Viot, Calas, Crevel, Aragon, Tzara, etc.). Paris, 1936.

Max Ernst, Through the Eyes of Poets. Numéro spécial de *View* 2e série, n° 1 (textes de Ernst, Sidney Janis, Miller, Calas, Julien Levy, etc). New York, 1942.

Guggenheim, Peggy. *My life with Max Ernst.* Dial Press. New York, 1946.

Max Ernst, Beyond Painting. Ed. Robert Motherwell, Wittenborn Schultz. New York, 1948.

Bousquet, Joë et Tapié, Michel. *Max Ernst.* René Drouin. Paris, 1950.

Walberg, Patrick. *Max Ernst.* Jean-Jacques Pauvert. Paris, 1958.

Trier, Eduard. *Max Ernst.* Verlag Aurel Bongers. Recklinghausen, 1959.

Max Ernst (textes de Ernst, Georges Bataille, etc.). Gonthier-Seghers. Paris, 1960.

Hommage à Max Ernst (textes de Arp, Bosquet, Bousquet, Éluard, Magritte, Michaux, Péret, Waldberg). Galerie Der Spiegel. Cologne, 1960.

Petrova, Eva. *Max Ernst.* Statni nakladatelstvi Krasné. Prague, 1965.

Modesti, Renzo. *Max Ernst.* Vallardi. Milan, s.d.

Russell, John. *Max Ernst, Leben und Werk.* Cologne, 1966. Trad. fsc. Ed. de la Connaissance. Bruxelles, 1967.

Tadini et Deekard. *Max Ernst.* Coll. Grands Peintres, Hachette. Paris, 1968.

Fischer, Lothar. *Max Ernst.* Hambourg, 1969.

Spies, Werner. *Max Ernst.* Harry N. Abrams. New York, 1969.

Gatt, Giuseppe. *Max Ernst.* Sadea Sansoni. Florence, 1969.

Sala, Carlo. *Max Ernst et la démarche onirique.* Klincksieck. Paris, 1970.

Spies, Werner. *Max Ernst 1950-1970. Die Rückkehr der Schönen Gärtnerin.* DuMont Schauberg. Cologne, 1971.

Hommage à Max Ernst. Numéro spécial *XXᵉ Siècle.* Paris, 1971.

Alexandrian, Sarane. *Max Ernst,* Filippachi. Paris, 1971.

Schneede, Uwe M. *The Essential Max Ernst.* Thames and Hudson. Londres, 1972.

Diehl, Gaston. *Max Ernst.* Flammarion. Paris, 1973.

Gimferrer, Pere. *Max Ernst o la dissolució de la identitat.* Galeria Joan Prats, La Poligrafa s.a. Barcelone, 1977.

Spies, Werner. *Max Ernst: Loplop.* Prestel-Verlag. Munich, 1982.

Spies, Werner. *Loplop: the artist in the third person.* George Braziller. New York, 1983.

Catalogue raisonné de l'œuvre

Spies, Werner. *Collagen inventar und Widerspruch.* De Menil Foundation, DuMont Schauberg. Houston, Cologne, 1974.

Leppien, Helmut R., Spies, Werner. *Das Graphische Werk.* De Menil Foundation, DuMont Schauberg. Houston, Cologne, 1975.

Metken, Sigrid et Günter, Spies, Werner. *Œuvre-Katalog: 1906-1925.* De Menil Foundation, DuMont Schauberg. Houston, Cologne, 1975.

Metken, Sigrid et Günter, Spies, Werner. *Œuvre-Katalog: 1925-1929.* De Menil Foundation, DuMont Schauberg. Houston, Cologne, 1976.

Metken, Sigrid et Günter, Spies, Werner. *Œuvre-Katalog: 1929-1938.* De Menil Foundation, DuMont Schauberg. Houston, Cologne, 1979.

Pour la bibliographie complète de l'œuvre gravé, se référer au catalogue de l'exposition *Max Ernst: Ecrits et Œuvre gravé,* présenté par Jean Cassou, et établi par Jean Hugues et Poupard-Lieussou, Bibliothèque municipale de Tours, 30 novembre-31 décembre 1963 et Galerie Le Point Cardinal, Paris, 22 janvier-29 février 1964.

Pour la bibliographie complète de l'œuvre sculpté de Max Ernst, se référer au catalogue de l'exposition *Max Ernst, Œuvre sculpté, 1913-1961* présenté par Alain Bosquet, et établi par Jean Hugues, Galerie Le Point Cardinal, Paris, 15 novembre-31 décembre 1961.

74
Cocktail drinker,
1945

64　L'ange du foyer *ou* Le triomphe du surréalisme, 1937

Max Ernst

Qu'est-ce que le surréalisme?

Le mot délit n'a, en général, pas été compris.
Paul Éluard

Il restait au monde de la culture occidentale comme dernière superstition, comme un triste résidu du mythe de la création, la légende du pouvoir créateur de l'artiste. Un des premiers actes révolutionnaires du surréalisme a été d'attaquer ce mythe par des moyens objectifs, sous la forme la plus corrosive et, certainement, de l'avoir détruit à tout jamais. En même temps il insistait avec force sur le rôle purement passif de «l'auteur» dans le mécanisme de l'inspiration poétique et dénonçait, comme contraire à celle-ci, tout contrôle «actif» de la raison, de la morale et toute considération esthétique. L'auteur peut assister en spectateur à la naissance de l'œuvre et poursuivre les phases de son développement avec indifférence ou passion. De même que le poète épie le cours automatique de sa pensée et en note tous les incidents, le peintre jette sur le papier ou sur la toile ce que son inspiration visuelle lui suggère.

C'en est fini, cela va sans dire, de la vieille conception de «talent», fini aussi de la divinisation du héros, de la fable agréable aux lubriques de l'admiration et qui vante la fécondité de l'artiste qui pond trois œufs aujourd'hui, deux demain et rien dimanche. Comme tout homme «normal» (et pas uniquement «l'artiste») porte, on le sait, une réserve inépuisable d'images enfouies dans son subconscient, c'est affaire de courage ou du procédé de libération employé (tel que «l'écriture automatique») de mettre au jour, par des explorations dans l'inconscient, des trouvailles non falsifiées, des «images» qu'un contrôle n'a pas décolorées et dont l'enchaînement peut être qualifié de connaissance irrationnelle ou d'objectivité poétique, suivant la définition de Paul Éluard: «L'objectivité poétique n'existe que dans la succession, dans l'enchaînement de tous les éléments subjectifs dont le poète est, jusqu'à nouvel ordre, non le maître mais l'esclave.» D'où il ressort que «l'artiste» falsifie.

Au début, il ne parut pas facile aux peintres et aux sculpteurs de trouver un procédé analogue à «l'écriture automatique» et adapté à leurs possibilités techniques d'expression, afin d'accéder à l'objectivité poétique, c'est-à-dire à proscrire du processus d'élaboration de l'œuvre d'art la raison, le goût et la volonté consciente. Toutes recherches théoriques ne pouvaient, en l'occurrence, leur être d'aucun secours. Seuls, au contraire, des essais pratiques et leur résultat pouvaient les aider. «La rencontre fortuite sur une table de dissection d'une machine à coudre et d'un parapluie» (Lautréamont) est aujourd'hui un exemple universellement connu et devenu presque classique du phénomène découvert par les surréalistes, à savoir que *le rapprochement de deux (ou plusieurs) éléments de nature apparemment opposée sur un plan de nature opposée à la leur provoque les plus violentes déflagrations poétiques.* D'innombrables expériences individuelles ou collectives (par exemple celles qui sont connues sous le nom de «Cadavre exquis») ont démontré le parti que l'on peut tirer de ce procédé. Ce faisant, on se rendit compte que plus la rencontre des éléments était arbitraire et plus sûrement, par l'étincelle de poésie qui en jaillissait, il devait se produire un changement complet ou partiel du sens des objets. La joie que l'on éprouve à toute métamorphose réussie ne répond pas à un misérable désir esthétique de distraction mais bien au séculaire besoin de l'intellect de se libérer du paradis illusoire et ennuyeux des souvenirs figés, et de rechercher un nouveau domaine d'expérience incomparablement plus vaste où les frontières entre le monde intérieur, comme on est convenu de l'appeler, et le monde extérieur (selon la conception classico-philosophique) s'effaceront de plus en plus et, vraisemblablement, disparaîtront un jour complètement lorsque des méthodes plus précises que l'écriture automatique auront été trouvées. C'est dans ce sens que je pus, sans aucune prétention, qualifier d'«Histoire naturelle» une suite de planches sur lesquelles

69   Painting for young people, 1943

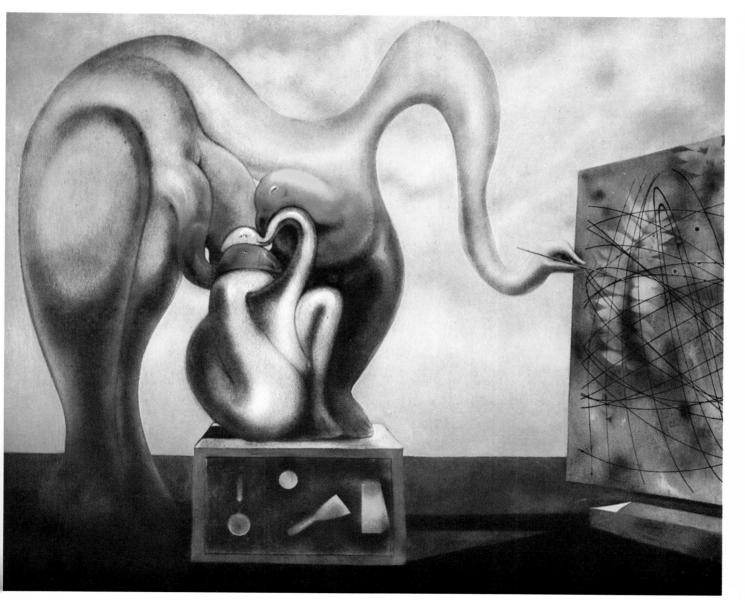

68 Le surréalisme et la peinture, 1942

j'avais fixé, avec la plus grande précision possible, une série d'hallucinations visuelles. La signification révolutionnaire de cette physiographie, qui sans doute produit d'abord une impression absurde, sera peut-être plus intelligible du fait que la microphysique moderne a donné des résultats analogues. Après mesurage d'un électron en mouvement libre et mesurage ultérieur de son déplacement, P. Jordan déclare : « Mais la distinction entre monde intérieur et monde extérieur se voit privée d'un de ses principaux soutiens avec la réfutation expérimentale de l'idée qu'il se présente dans le monde extérieur des faits qui, indépendamment du processus d'observation, possèdent une existence objective. »

Par conséquent, lorsqu'on dit des surréalistes qu'ils sont les peintres d'une réalité onirique en perpétuel changement, il ne faut pas entendre par là qu'ils copient leurs rêves sur leur toile (ce serait du naturalisme naïf et descriptif) ou bien que chacun d'eux se bâtit avec les éléments de son rêve son petit monde à lui, pour y prendre ses aises ou y exercer sa méchanceté (ce serait «La fuite hors du temps*»). Cela signifie au contraire qu'ils se meuvent librement, hardiment et tout naturellement dans la région frontière du monde intérieur et du monde extérieur qui, bien qu'elle soit imprécise encore, possède une complète réalité («surréalité») physique et psychique ; qu'ils enregistrent ce qu'ils y voient et qu'ils interviennent énergiquement là où leurs instincts révolutionnaires les poussent à le faire**. L'opposition fondamentale entre méditation et action (selon la conception classico-philosophique) tombe avec la distinction entre monde extérieur et monde intérieur et c'est là que réside la signification universelle du surréalisme, à savoir qu'après cette découverte aucune région de la vie ne peut lui rester fermée. C'est ainsi que la sculpture qui gardait vis-à-vis de tout automatisme une attitude visiblement farouche, devait elle aussi accéder au surréalisme. A côté des sculptures de Hans Arp et de Giacometti présentées dans cette exposition, il faut mentionner les objets surréalistes «à fonctionnement symbolique»

---

*   Allusion au livre de Hugo Ball : *Die Flucht aus der Zeit.* (N.d.t.)

** En opposition à l'abstractivisme qui, au contraire, borne intentionnellement ses possibilités aux actions réciproques et purement esthétiques de couleurs, surfaces, volumes, lignes, espace, etc. Apparemment pour aider la vieille croyance dans la création à se remettre sur pied, comme le prouve le nom même du groupe : «Abstraction, création».

77   Rêve et révolution, 1947

(par exemple *La boule suspendue* de Giacometti) et les projets utopiques dont la description suivante peut donner une idée au lecteur : «De grandes automobiles, trois fois plus grandes que nature, seront reproduites (avec une minutie de détails surpassant celle des moulages les plus exacts) en plâtre ou en onyx, pour être enfermées, enveloppées de linge de femme, dans les sépultures, dont l'emplacement ne sera reconnaissable que par la présence d'une mince horloge de paille» (Salvador Dali).

Le groupe surréaliste vers 1930
De gauche à droite : Tzara, Breton, Dali, Ernst, Man Ray. Au second rang : Eluard, Arp, Tanguy, René Crevel
Photo Man Ray

Déjà des œuvres plastiques existantes peuvent fonctionner, dans l'expérimentation surréaliste, comme toute autre «réalité», en tant qu'éléments poétiques, ainsi que l'ont montré les recherches collectives en vue d'un embellissement irrationnel de Paris: «Les plus conventionnelles des statues embelliraient merveilleusement les campagnes. Quelques femmes nues en marbre seraient du meilleur effet sur une grande plaine labourée. Des animaux dans les ruisseaux et des conciles de graves personnages cravatés de noir dans les rivières formeraient de charmants écueils à la monotonie des flots. Le flanc des montagnes s'agrémenterait à ravir de toutes les pétrifications de la danse. Et pour faire la part de la mutilation indispensable, que de têtes sur le sol, que de mains sur les arbres, que de pieds sur le chaume!» (Paul Éluard).

Qu'est-ce que le surréalisme? Si l'on attend une définition qui réponde à cette question, on restera déçu aussi longtemps que durera ce mouvement. Mon trop bref exposé n'était destiné qu'à déjouer dans une certaine mesure la confusion des idées à propos du surréalisme, laquelle se répand et s'est fortement introduite dans une partie de l'opinion. Au reste, je ne peux ici que renvoyer aux deux ouvrages d'André Breton: *Manifestes du surréalisme* et *Les vases communicants*. Que l'on ait décelé, dans les démarches successives des surréalistes, des contradictions, et qu'il s'en présente encore, indique que le mouvement est dans la voie la meilleure. Étant donné qu'il a bouleversé du tout au tout les rapports des «réalités», il ne pouvait que contribuer à accélérer la crise générale de conscience et de connaissance de soi qui se fait sentir aujourd'hui.

(1934)

Traduit de l'allemand par Robert Valançay

Extrait de Max Ernst *Écritures*. Gallimard. Paris, 1971

75
Euclide,
1945

76 Dessin dans la nature, 1947

78   Il ne voit pas, il voit, 1947

110

83 Colline inspirée, 1950

96   Un tissu de mensonges, 1959

UN JEU DE MENSONGES   59

79
Noces chimiques,
1947-1948

87
Le cavalier polonais,
1954

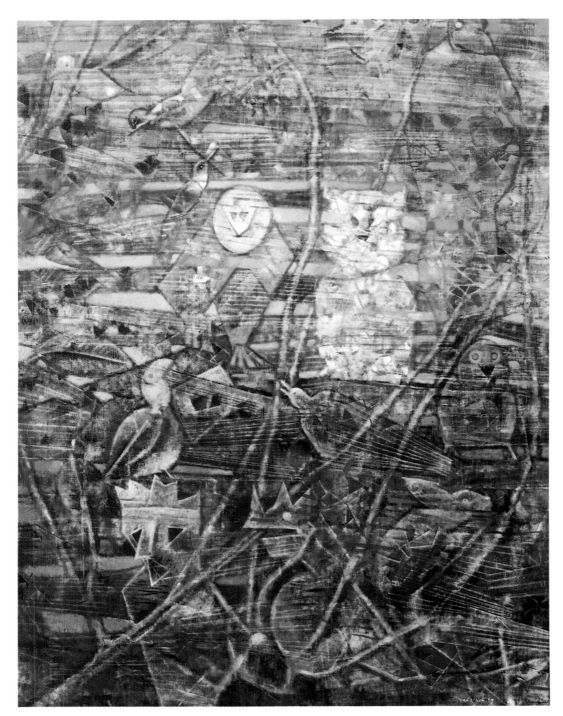

89
Pour les amis d'Alice,
1956

91
Projet
pour un monument
à W.C. Fields,
1957

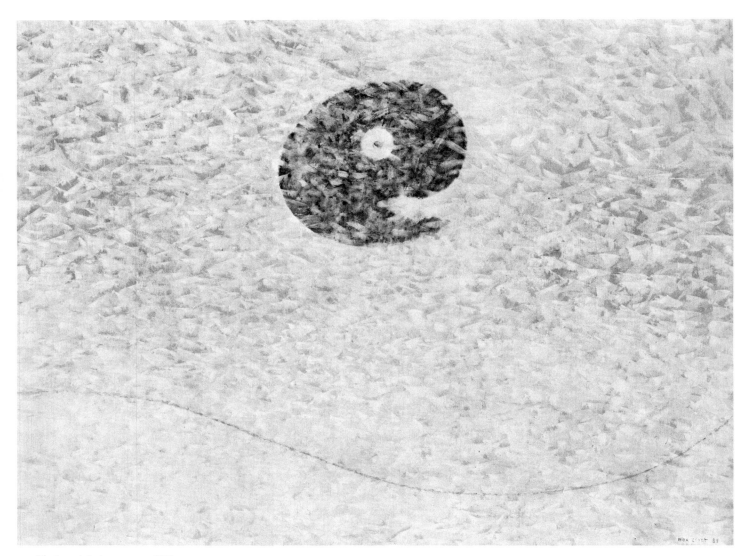

86   Le cri de la mouette, 1953

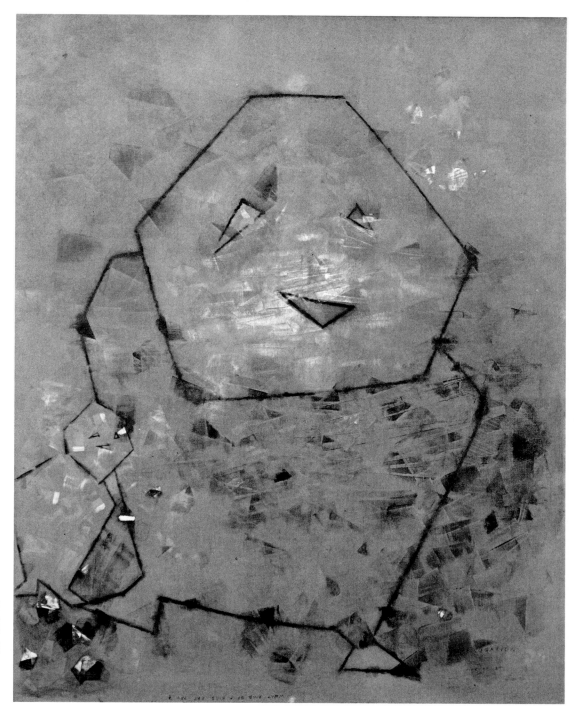

92
Interrogation:
What kind
of bird are you?,
1958

93
Après moi le sommeil,
1958

84
La religieuse portugaise,
1950

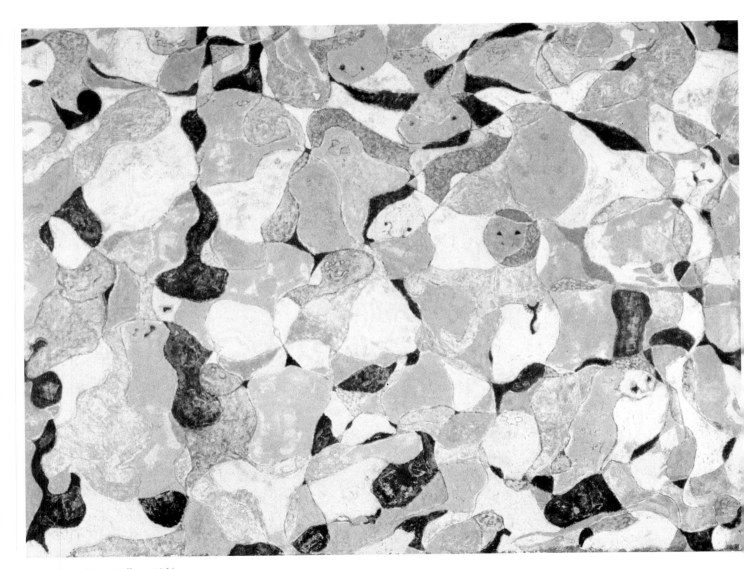

115   La fête à Seillans, 1964

108
Terre et soleil,
1961

101   Un essaim d'abeilles dans un Palais de justice, 1960

94 Mundus est fabula, 1959

80
Beethoven et Chostakovitch,
1948

102
Portrait
de Dorothea,
1960

95
L'illustre forgeron
des rêves,
1959

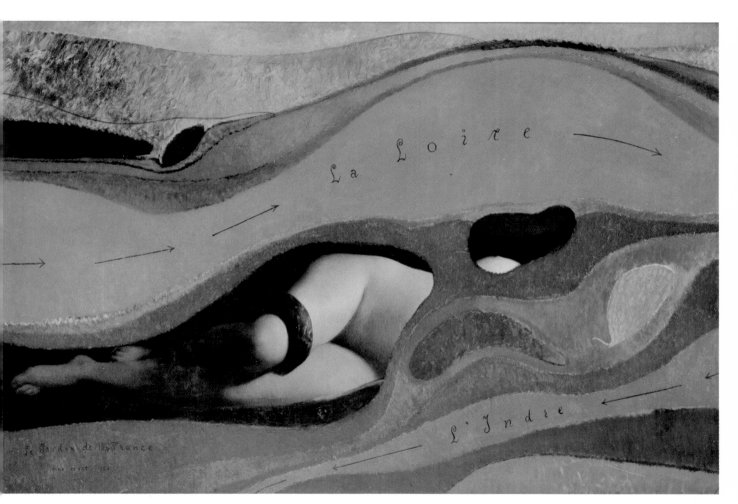

114   Le jardin de la France, 1962

129

120   Défilé d'une école de harengs sous la lune brune, 1965

116   Le ciel épouse la terre, 1964

119
Le monde des naïfs,
1965

128
Le survivant,
1968

Œuvres exposées

S/M + numéro :
Œuvre référencée dans le catalogue raisonné établi par Werner Spies, Günter et Sigrid Metken, *Max Ernst : Œuvre-Katalog* Menil Foundation. DuMont Schauberg. Munich, 1975-1979

Peintures, sculptures, dessins

1

Der auftrag ou L'âne des indépendants, 1912
Carte postale à Franz Balke
Plume et encre de Chine
14 × 9 cm
Collection particulière
S/M 86

2

Couple dans la ville, 1913
Huile sur carton
36,8 × 29,2 cm
Collection particulière
S/M 247

3

Chariot et cheval, 1913
Crayon sur papier
16 × 9,7 cm
Collection particulière
S/M 101

4

Tête de jeune fille, 1913
Crayon sur papier
8,3 × 11,7 cm
Collection particulière
S/M 140

5

Couple dansant, 1913
Crayon sur papier
12,2 × 8 cm
Collection particulière
S/M 147

6

Loni (la sœur de Max Ernst), 1913
Crayon sur papier
18,8 × 12 cm
Collection particulière
S/M 149

7

Paysan au chapeau, 1913
Crayon sur papier
12,3 × 9,6 cm
Collection particulière
S/M 188

8

Homme à la fenêtre, 1913
Crayon sur papier
16 × 9,7 cm
Collection particulière
S/M 193

9

La danseuse Gertrud Leistikow, 1913
Plume et encre de Chine sur papier
24,5 × 16,5 cm
Collection particulière
S/M 208

10

Couple dansant, 1913
Pinceau, encre de Chine sur papier
13,4 × 9 cm
Collection particulière
S/M 228

11

Ecuyères, 1913
Plume, pinceau et encre de Chine sur papier
6,8 × 14,5 cm
Collection particulière
S/M 230

12

Armada V. duldgedalzen, 1919
Photographie et texte manuscrit
16,7 × 11,8 cm
Collection particulière
S/M 300

13

La grande roue orthochromatique qui fait l'amour sur mesure, c. 1919-1920
Aquarelle et crayon sur feuillets imprimés
35,5 × 22,5 cm
Collection particulière
S/M 324

14

Sans titre, c. 1920
Gouache, encre de Chine, crayon et peinture sur motif imprimé
17 × 18,7 cm
Stedelijk Museum, Amsterdam
S/M 345

15

Sans titre, 1920
Gouache, plume, encre de Chine, crayon sur papier, peinture sur motif imprimé monté sur carton
30 × 25 cm
Collection particulière
S/M 357

16

L'ascaride de sable, 1920
Collage, gouache et crayon sur papier
13 × 52 cm
Collection particulière
S/M 360

17

Katarina ondulata, 1920
Collage, gouache et crayon sur papier
31,2 × 27 cm
Collection particulière
S/M 356

133
La forêt
pataphysique,
la dernière forêt,
1970

135

18

Sans titre ou **Les hommes ne le sauront jamais**, c. 1921
Gouache, aquarelle et crayon sur papier
50,5 × 65 cm
Collection particulière
S/M 464

19

Sans titre, c. 1921
Gouache, peinture sur motif imprimé
45,5 × 66 cm
Collection particulière
S/M 427

20

La puberté proche... ou Les pléiades, 1921
Collage de photographies, gouache et huile sur papier monté sur carton
24,5 × 16,5 cm
Collection particulière
S/M 418

21

Anatomie jeune mariée, 1921
Photographie d'un collage rehaussée à la gouache blanche
23,7 × 17,2 cm
Collection particulière
S/M 423

22

Sans titre (Dada), c. 1922
Huile sur toile
43 × 31 cm
Collection Thyssen-Bornemisza, Lugano
S/M 504

23

Baudelaire rentre tard, c. 1922
Encre de Chine sur papier
27 × 20 cm
Collection Jacques Matarasso, Nice
S/M 509

24

Ubu imperator, 1923
Huile sur toile
100 × 81 cm
Fondation pour la Recherche médicale, Paris
S/M 631

25

La femme chancelante, 1923
Huile sur toile
130,5 × 97,5 cm
Kunstsammlung Nordrhein-Westfalen, Düsseldorf
S/M 627

26

Un homme en peut cacher un autre, 1923
Lavis, plume et encre de Chine sur papier
64 × 48,5 cm
Collection particulière
S/M 594

27

Femme, vieillard et fleur, 1924
Huile sur toile
97 × 130 cm
The Museum of Modern Art, New York.
Acquisition
S/M 660

28

M ou La lettre ou Portrait, 1924
Huile sur toile
82 × 60 cm
Collection particulière
S/M 665

29

L'as de pique, 1924
Plume, encre, crayon et frottage, peinture sur motif imprimé
16,5 × 17,5 cm
Collection particulière
S/M 781

30

Les 100.000 colombes, 1925
Huile sur toile
97 × 130 cm
Galerie Beyeler, Bâle
S/M 1027

31

Sans titre, 1925
Frottage et crayon de couleurs sur papier
43,2 × 25,8 cm
Collection particulière
S/M 879

32

Tremblement de terre, 1925
Frottage et crayon sur papier
64 × 48 cm
Collection particulière
S/M 837

33

L'origine de la pendule, 1925
Frottage et crayon sur papier
42 × 26 cm
Musée d'art moderne, Strasbourg
S/M 815

34

Les deux sœurs, 1926
Huile et frottage à la mine de plomb sur toile
100 × 73 cm
Menil Foundation, Houston
S/M 963

35

Gulfstream ou **Mer et oiseau**, 1926
Huile et plâtre sur toile
72 × 59 cm
Galerie Beyeler, Bâle
S/M 1004

36

Famille, 1926-1927
Huile sur toile
80 × 62 cm
Galerie Beyeler, Bâle
S/M 1074

121
Laïcité,
1965

37
Forêt sombre et oiseau, 1927
Huile sur toile
65 × 81 cm
Galerie Beyeler, Bâle
S/M 1165

38
Forêt et colombe, 1927
Huile sur toile
100 × 81,5 cm
The Tate Gallery, Londres
S/M 1195

39
La horde, 1927
Huile sur toile
115 × 146 cm
Stedelijk Museum, Amsterdam
S/M 1132

40
Monument aux oiseaux, 1927
Huile sur toile
162,5 × 130 cm
Fondation pour la Recherche médicale, Paris
S/M 1216

41
Famille nombreuse, 1928
Huile sur toile
100 × 81 cm
Collection particulière
S/M 1295

42
La chimère, 1928
Huile sur toile
114 × 145,8 cm
Musée national d'art moderne, Centre
Georges Pompidou, Paris
S/M 1300

43
Loplop, le supérieur des oiseaux, 1928
Huile sur toile
79 × 99 cm
Collection particulière
S/M 1272

44
Fleurs de neige, 1929
Huile sur toile
130 × 130 cm
Galerie Beyeler, Bâle
S/M 1380

45
Fleurs sur fond jaune, 1929
Huile sur toile
100 × 80,5 cm
Galerie Beyeler, Bâle
S/M 1377

46
L'immaculée conception, 1929
Maquette pour l'illustration de la « Femme
100 têtes »
Collage sur papier monté sur carton
14,2 × 14,5 cm
Collection particulière
S/M 1429

47
**Collage original pour la « Femme
100 têtes »**, 1929
Collage
12,5 × 9 cm
Collection particulière
S/M 1443

48
Défais ton sac, mon brave, 1929
Collage
14,5 × 12 cm
Collection particulière
S/M 1469

49
Le vol nuptial, 1930
Huile sur toile
73 × 92 cm
Collection particulière
S/M 1776

50
Loplop présente une fleur ou **Figure
anthropomorphe et fleur coquillage**,
1930
Peinture et collage sur bois
100 × 81 cm
Collection particulière, U.S.A.
S/M 1794

51
Loplop présente une jeune fille, 1931
Plâtre et huile sur bois et matériaux divers
195 × 89 cm
Musée national d'art moderne, Centre
Georges Pompidou, Paris
S/M 1711

51 bis
Loplop présente, 1931
Collage, crayon et gouache sur carton
64,5 × 50 cm
Collection particulière
S/M 1767

52
Loplop présente Paul Éluard, 1931
Collage et crayon sur papier
64,8 × 49,5 cm
Collection particulière
S/M 1770

52 bis
Loplop présente, 1932
Collage et crayon sur papier
63 × 69 cm
Collection particulière
S/M 1861

53
Nageur aveugle, 1934
Huile sur toile
92,3 × 73,5 cm
The Museum of Modern Art, New York. Don de
Mme Pierre Matisse et du fonds Helena
Rubinstein
S/M 2145

137
Configuration,
1974

54
Paysage au germe de blé, 1934
Huile sur toile
60 × 81 cm
Collection particulière
S/M 2150

55
Œdipe I, 1934-1960
Bronze
h. 62 cm
Collection particulière
S/M 2153

56
Œdipe II, 1934-1960
Bronze
h. 62 cm
Collection particulière
S/M 2154

57
Oiseau-tête, 1934/1935-1956
Bronze
h. 52 cm
Collection particulière
S/M 2157

58
Jardin gobe-avions, 1935
Huile sur toile
32 × 45 cm
Collection particulière
S/M 2186

59
Les asperges de la lune, 1935
Bronze
h. 165 cm
Collection particulière
S/M 2161

60
Gai, 1935-1956
Bronze
h. 39,5 cm
Collection particulière
S/M 2160

61
La joie de vivre, 1936
Huile sur toile
72 × 91 cm
Collection particulière
S/M 2263

62
Paysage au germe de blé, 1936
Huile sur toile
130,5 × 162,5 cm
Kunstsammlung Nordrhein-Westfalen,
Düsseldorf
S/M 2252

63
Le déjeuner sur l'herbe, 1936
Huile sur toile
46 × 55 cm
Collection Jeffrey H. Loria, New York
S/M 2254

64
L'ange du foyer ou **Le triomphe du surréalisme**, 1937
Huile sur toile
114 × 146 cm
Collection particulière

65
Fascinant cyprès, 1939-1940
Huile sur toile
72 × 91 cm
Collection particulière

66
Marlène, 1940-1941
Huile sur toile
23,8 × 19,5 cm
Collection D. et J. de Menil, Houston

67
Dessin sur papier bistre, 1941-1942
Crayon noir sur papier
Collection particulière

68
Le surréalisme et la peinture, 1942
Huile sur toile
140 × 195 cm
Menil Foundation, Houston

69
Painting for young people, 1943
Huile sur toile
61 × 76,2 cm
Collection D. et J. de Menil, Houston

70
Jeune homme au cœur battant,
1944-1956
Bronze
h. 63 cm
Galerie Beyeler, Bâle

71
Le roi jouant avec la reine, 1944-1954
Bronze
h. 100 cm
Collection particulière, U.S.A.

72
La table est mise, 1944-1955
Bronze
29,4 × 53,8 × 53,8 cm
Collection particulière, U.S.A.

72 bis
Moon mad, 1944-1956
Bronze
h. 90 cm
Collection particulière

73
Un ami empressé, 1944-1957
Bronze
h. 67 cm
Collection particulière

74
Cocktail drinker, 1945
Huile sur toile
116 × 72,5 cm
Kunstsammlung Nordrhein-Westfalen,
Düsseldorf

82
Drame, 1949

130 Enfants jouant aux astronautes, 1969

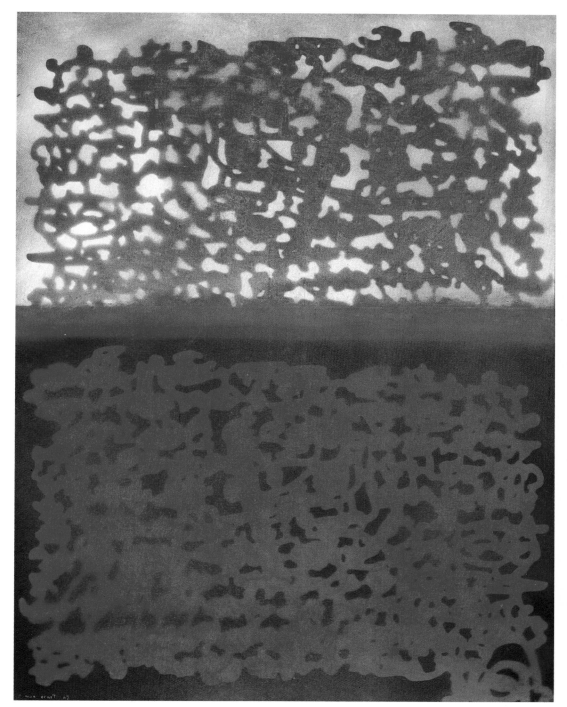

131
L'air lavé à l'eau,
1969

87
Le cavalier polonais, 1954
Huile sur toile
116 × 89 cm
Collection particulière

88
Êtes-vous niniche?, 1955-1956
Bronze
h. 56 cm
Collection particulière

89
Pour les amis d'Alice, 1956
Huile sur toile
115 × 90 cm
Collection particulière

90
Deux et deux font un, 1956
Bronze peint
h. 30 cm
Collection particulière

91
Projet pour un monument à W.C. Fields, 1957
Huile sur toile
115 × 88 cm
Collection particulière

92
Interrogation: What kind of bird are you?, 1958
Huile sur toile
162 × 130 cm
Van Abbemuseum, Eindhoven

93
Après moi le sommeil, 1958
Huile sur toile
130 × 89 cm
Musée national d'art moderne, Centre
Georges Pompidou, Paris

94
Mundus est fabula, 1959
Huile sur toile
130 × 162,5 cm
The Museum of Modern Art, New York.
Don de l'artiste

95
L'illustre forgeron des rêves, 1959
Huile sur toile
92 × 72,7 cm
Collection Jeffrey H. Loria, New York

96
Un tissu de mensonges, 1959
Huile sur toile
220 × 300 cm
Collection particulière

97
Bosse de nage, 1959
Bronze
h. 61 cm
Collection particulière

98
Fille et mère, 1959
Bronze
h. 39 cm
Collection particulière

99
Dream rose, 1959
Bronze
h. 32 cm
Collection particulière

100
Les pourquoi du soleil, 1960
Huile sur toile
91,5 × 72,5 cm
Galerie Beyeler, Bâle

101
Un essaim d'abeilles dans un Palais de justice, 1960
Huile sur toile
131 × 196,2 cm
Collection D. et J. de Menil, Houston

102
Portrait de Dorothea, 1960
Huile sur toile
162 × 131 cm
Collection particulière, U.S.A.

103
Dans les rues d'Athènes, 1960
Bronze
h. 99 cm
Collection particulière

104
Un Chinois égaré, 1960
Bronze. Ex. E.A. 3/3
h. 75 cm
Collection particulière

105
La Tourangelle, 1960
Bronze. Ex. E.A. II/II
h. 26 cm
Collection particulière

106
Homme, 1960-1961
Argent fin
28 × 12 cm
Collection particulière

107
Femme, 1960-1961
Argent fin
29 × 18 cm
Collection particulière

108
Terre et soleil, 1961
Huile et peinture sur toile
72 × 60 cm
Collection particulière, U.S.A.

109
Sous les ponts de Paris, 1961
Bronze
h. 149 cm
Collection particulière

110
Âmes-sœurs, 1961
Bronze
h. 93 cm
Collection particulière

111
L'imbécile, 1961
Bronze
h. 70 cm
Collection particulière

112
Homme, 1961
Argent fin
26 × 15 cm
Collection particulière

113
Femme, 1961
Argent fin
16 × 26 cm
Collection particulière

114
Le jardin de la France, 1962
Huile sur toile
114 × 168 cm
Musée national d'art moderne, Centre
Georges Pompidou, Paris

115
La fête à Seillans, 1964
Huile sur toile
130 × 170 cm
Musée national d'art moderne, Centre
Georges Pompidou, Paris

116
Le ciel épouse la terre, 1964
Huile sur toile
153,6 × 200,7 cm
Collection D. et J. de Menil, Houston

117
Dessin pour « Les chiens ont soif », 1964
Frottage
45,5 × 33 cm
Galerie Beyeler, Bâle

118
Microbe vu à travers un tempérament,
1964
Bronze
h. 323 cm
Collection particulière

119
Le monde des naïfs, 1965
Huile sur toile
116,5 × 89,5 cm
Musée national d'art moderne, Centre
Georges Pompidou, Paris

120
**Défilé d'une école de harengs sous la
lune brune**, 1965
Huile sur toile
65 × 81 cm
Collection particulière

121
Laïcité, 1965
Peinture-collage
116 × 89 cm
Collection particulière

122
Le Musée de l'homme, 1965
Bronze. Ex. E.A. I/III
47 × 29,5 × 23,5 cm
Collection Alechinsky, Bougival

123
La pêche sous-marine, 1966
Frottage
25 × 22 cm
Galerie Beyeler, Bâle

124
Victoire glaciale, 1967
Frottage et décalcomanie
18,5 × 21,2 cm
Collection particulière

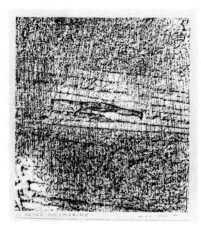

123   La pêche sous-marine, 1966

125
La grande tortue, 1967
Bronze
h. 105 cm
Collection particulière

126
La grande grenouille, 1967
Bronze
h. 125 cm
Collection particulière

127
Le grand assistant, 1967
Bronze
h. 156 cm
Collection particulière

128
Le survivant, 1968
Huile, gouache, fusain et collage
75 × 52,4 cm
Galerie Beyeler, Bâle

129
Sans titre,
1968

133
La forêt pataphysique, la dernière forêt,
1970
Huile sur toile
100 × 80 cm
Collection particulière

134
La grande comète, 1973
Frottage
31,5 × 48,5 cm
Collection Pierre Chave

135
Sans titre, 1973
Frottage
53 × 40 cm
Collection particulière

136
Figure debout (totem), 1973
Bronze. Ex. V/V
h. 60 cm
Collection particulière

137
Configuration, 1974
Huile sur toile
92 × 73 cm
Collection particulière, U.S.A.

138
Bouteille à la mer, 1974
Frottage
37 × 33 cm
Collection Pierre Chave

139
Estomac de clown un vendredi saint,
1974
Frottage
35,5 × 25,5 cm
Collection Pierre Chave

129
Sans titre, 1968
Frottage
35 × 26 cm
Galerie Beyeler, Bâle

130
Enfants jouant aux astronautes, 1969
Huile sur toile
89 × 116 cm
Galerie Beyeler, Bâle

131
L'air lavé à l'eau, 1969
Huile sur toile
116,3 × 88,3 cm
Galerie Beyeler, Bâle

132
Dessin pour l'oiseau caramel, 1969
Crayons de couleurs et peinture sur papier
blanc à rayures horizontales
45 × 32 cm
Collection Robert Lebel, Paris

140
Mon ami Pierrot, 1974
Bronze. Ex. II/VIII
51 × 37 cm
Collection particulière

141
Janus, 1974
Bronze
h. 53 cm
Collection particulière

142
À propos de festin, 1975
Frottage
34 × 26 cm
Collection Pierre Chave

143
Portrait de l'ancêtre, 1975
Bronze
h. 52 cm
Collection particulière

143 bis
Le roi, la reine et le fou, 1929-c. 1970
Bronze. 70 ex.
15 × 30 × 9,5 cm
Collection particulière

143 ter
Chéri-bibi, 1975
Bronze. 300 ex.
h. 33 cm Ø 18 cm
Collection particulière

Livres illustrés

144
Les malheurs des immortels
révélés par Paul Eluard et Max Ernst
Paru sans mention de tirage (à petit nombre
d'exemplaires, sur simili Japon).
Poèmes en prose écrits en collaboration et
accompagnés de 21 illustrations
(reproductions de collages)
Librairie Six. Paris, 1922
Bibliothèque littéraire Jacques Doucet, Paris

145
Répétitions
Poèmes de Paul Eluard
350 exemplaires sur papier couché comportant
11 reproductions de collages en hors-texte et
un frontispice en couleurs.
Au Sans Pareil. Paris, 1922
n° 2
Bibliothèque littéraire Jacques Doucet, Paris

146
Histoire naturelle
Introduction de Hans Arp
300 exemplaires, plus 6 hors-commerce (A à
F): 20 sur Japon impérial (1 à 20), 30 sur vélin
d'Arches (21 à 50), 250 sur vélin Lafuma (51 à
100) comportant 34 frottages reproduits en
phototypie.
Editions Jeanne Bucher. Paris, 1926
n° 51
Bibliothèque littéraire Jacques Doucet, Paris

147
La femme 100 têtes
Avis au lecteur par André Breton
12 exemplaires sur Japon impérial (1 à 12),
88 exemplaires sur Hollande (13 à 100),
900 exemplaires sur vélin teinté (101 à 1000)
Roman en 147 images (reproductions de
collages) accompagnées de légendes de
Max Ernst.
Editions du Carrefour. Paris, 1929
Exemplaire non numéroté, comportant quatre
pages manuscrites de Max Ernst intitulées
« Au-delà de la peinture ».
Collection Jacques Matarasso, Nice.

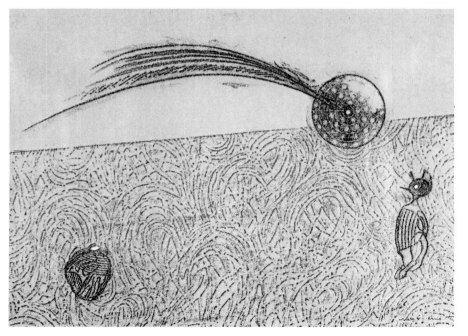

134   La grande comète, 1973

148

Rêve d'une petite fille qui voulait entrer au carmel
20 exemplaires sur Japon impérial
(17 numérotés I à XVII et 3 hors-commerce
numérotés XVIII à XX), 40 exemplaires sur
Hollande (1 à 40), 1000 exemplaires sur vélin
teinté (41 à 1000).
Roman en 79 images (reproductions de
collages) accompagnées de légendes de
Max Ernst.
Editions du Carrefour. Paris, 1930
n° 309
Bibliothèque littéraire Jacques Doucet, Paris

149

Manifeste du surréalisme
Poisson soluble. Préface et Lettre aux voyantes
par André Breton.
Frontispice de Max Ernst
Kra. Paris, 1930
Edition originale, exemplaire non numéroté
Bibliothèque littéraire Jacques Doucet, Paris

150

Mr Knife and Miss Fork
Texte de René Crevel, traduit par Kay Boyle
50 exemplaires sur Hollande signés par les
auteurs, 200 exemplaires sur Bristol fin et
5 exemplaires spéciaux contenant chacun
quatre dessins originaux.
Edition en anglais du premier chapitre de
« Babylone » illustrée de 19 photogrammes
hors-texte de Man Ray.
The Black Sun Press. Paris, 1931
n° 21 accompagné d'un photogramme avec
marge légendé Max Ernst
Collection Jacques Matarasso, Paris

151

Une semaine de bonté ou les sept éléments capitaux
16 exemplaires sur vélin d'Arches
(12 numérotés I à XII et 4 hors-commerce
numérotés I à IV) comportant 1 eau-forte
signée, numérotée et 800 exemplaires sur
papier Navarre.

Réunion de cinq cahiers sous emboîtage :
Le lion de Belfort (48 pages. 44 collages)
L'eau (40 pages, 27 collages)
La cour du Dragon (52 pages, 44 collages)
Œdipe (36 pages, 28 collages)
Le dernier cahier se décompose ainsi : Le rire
du coq (16 collages), L'île de Pâques (10
collages), L'intérieur de la vue (9 dessins,
3 collages), La clé des champs (10 collages).
Editions Jeanne Bucher. Paris, 1934
n° 685
Collection Jacques Matarasso, Paris

152

La brebis galante
Texte de Benjamin Péret, (daté de 1924)
1 exemplaire unique sur vieux Japon à la cuve,
15 exemplaires sur vélin de Montval (I à XV),
300 exemplaires sur grand vélin d'Arches (1 à
300), 5 exemplaires nominatifs sur vélin de
Montval (A à E).
3 eaux-fortes et 21 dessins hors-texte, la plupart
rehaussés en couleurs au pochoir.
Les Editions Premières. Paris, 1949
n° XIII
Bibliothèque littéraire Jacques Doucet, Paris

153

Sept microbes vus à travers un tempérament
1.100 exemplaires : 1.000 sur Marais une fleur
et 100 sur Marais pur fil trois fleurs contenant
une eau-forte en couleurs signée, de Yves
Tanguy.
Le volume est illustré de nombreuses
reproductions de tableaux intitulés
« microbes » qui respectent l'échelle réelle des
originaux.
Editions Cercle d'Art. Paris, 1953
n° 44
Collection Jacques Matarasso, Nice

154

Galapagos. Les îles du bout du monde
Texte d'Antonin Artaud (daté de 1932)
135 exemplaires sur vélin de Rives
(115 numérotés 1 à 115 et 20 hors commerce
numérotés I à XX). Les exemplaires 1 à 20

contiennent un frottage en couleurs, numéroté,
signé.
Volume illustré de 10 eaux-fortes en noir,
couleur et blanc.
Louis Broder. Paris, 1955
n° III
Collection Jacques Matarasso, Nice

155

Maximiliana ou L'exercice illégal de l'astronomie
60 exemplaires sur vieux Japon à la forme
comprenant 33 eaux-fortes et 14 planches
d'écritures de Max Ernst.
Hommage de Max Ernst et d'Iliazd à Guillaume
Tempel (1821-1889) astronome et lithographe.
Le Degré Quarante-et-un. Paris, 1964
n° 24
Collection Pierre Chave

156

Les chiens ont soif
Texte de Jacques Prévert
300 exemplaires sur papier chiffon d'Arches
contenant deux eaux-fortes en couleurs signées
et 27 lithographies en couleurs. Les
27 premiers exemplaires sont accompagnés
d'un dessin original en couleurs, signé, réalisé
en vue du tirage des lithographies.
Au Pont des Arts. Paris, 1964
H.C. V
Collection Jacques Matarasso, Nice

157

Aux petits agneaux
Texte de Patrick Waldberg
101 exemplaires sur vélin d'Arches (1 à 101),
21 exemplaires réservés aux collaborateurs
(HC I à HC XXI) tous accompagnés d'une suite
sur papier Japon et 52 exemplaires sans suite
dont 26 numérotés A à Z et 26 HC A à HC Z,
comportant 19 lithographies originales.
Editions Pierre Chave, Vence
n° 4
Collection Pierre Chave

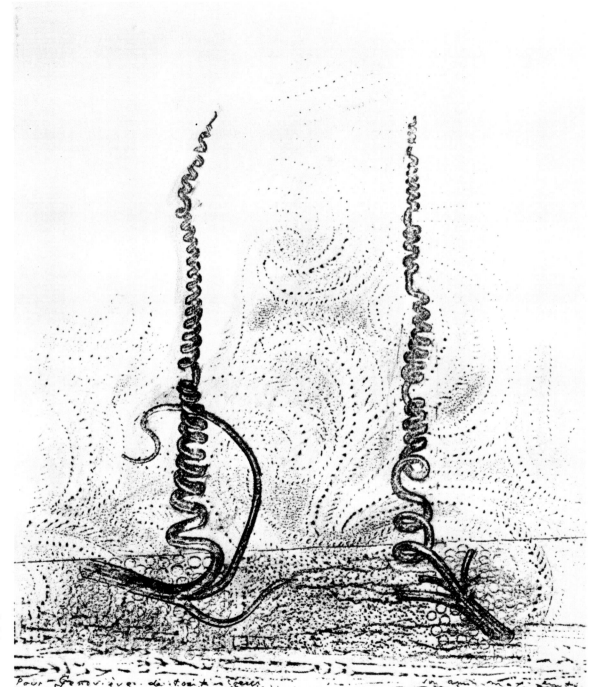

135
Sans titre,
1973

La sculpture de Max Ernst

L'œuvre sculpté de Max Ernst, comme celui de Picasso, a longtemps été l'un des secrets les mieux gardés de notre temps. Pour l'un comme pour l'autre, cette activité a été reconnue tardivement. Certains travaux importants de Max Ernst ont été détruits. Et, d'autre part, c'est seulement après la guerre que ses plâtres ont été coulés en bronze. Des ensembles comme son «palais idéal» de Saint-Martin-d'Ardèche richement orné de sculptures, ou encore la maison qu'il a construite et décorée lui-même à Sedona (Arizona) tombent en ruines ou sont déjà anéantis. Et sa réputation, à cet égard, ne s'est pas encore imposée...

Depuis le milieu des années 30, la sculpture revendique une place autonome dans l'œuvre et se situe en quelque sorte dans un rapport d'opposition avec le reste de celle-ci. Ce n'est que vers 1944-1945 qu'une relation directe s'établit et que dans des compositions de tendance géométrique telles que *La naissance de la Comédie, Euclide, La religieuse portugaise,* le peintre Max Ernst se souvient du sculpteur...

Si l'on compare les premières sculptures que Max Ernst réalise à son retour de Maloja à Paris en 1934 *(Œdipe I, Œdipe II, Tête d'homme, Habacuc)* avec sa peinture d'une riche facture aux reliefs incorporés, on découvre entre les deux un rapport paradoxal. Car dans les premières, Max Ernst nie l'élément tactile et recherche les surfaces planes. D'un point de vue stylistique, deux procédés sont réunis dans ces travaux : l'utilisation des moulages, d'une part (la forme à chapeau déjà devenue archétypique dans l'œuvre réapparaît ici comme modèle pour les pots de fleurs et les vases), et l'intervention directe dans le modelage, d'autre part ; en effet, c'est à des éléments modelés en forme de boules ou de boudins, figures abstraites élémentaires, que se résume la représentation de la tête...

Dix ans plus tard, en 1944, Max Ernst reprend son activité de sculpteur à Great River (Long Island), dans une direction semblable du point de vue technique. Entre-temps, il avait reconstruit une ferme délabrée du dix-septième siècle à Saint-Martin-d'Ardèche, et l'avait ornée de sculptures en ciment. Dans ces travaux qui comprenaient à la fois de petits grotesques et des statues monumentales de sirènes et de centaures, Max Ernst s'était momentanément libéré de la composition rigoureusement symétrique. Pendant la période américaine, Max Ernst revient à une sculpture aux surfaces indifférentes, comme dans la période parisienne...

La grande sculpture intitulée *Capricorne* voit le jour au cours des années passées à Sedona (1946-1953)... En un sens, on retrouve jusque dans cette œuvre un prolongement du style des rondes bosses de Saint-Martin-d'Ardèche. Le corps de femme terminé par une queue de poisson y apparaissait déjà, et la tête du personnage masculin s'y trouvait aussi anticipée dans l'un des reliefs muraux. Quant à l'origine du personnage masculin assis, on peut remonter, nous l'avons vu, jusqu'en 1923. A telle enseigne qu'on pourrait définir le *Capricorne* comme la sculpture encyclopédique de Max Ernst. En elle se résument presque tous les motifs plastiques de l'œuvre : la verticalité du sceptre (constitué ici par des bouteilles de lait empilées), qui apparaissait déjà dans *Les asperges de la lune* (1935) et devait trouver un écho dans *Le génie de la Bastille*, dans *Sous les ponts de Paris* (1961) et dans *Ames-sœurs*, la surface plane, la courbure concave ou convexe du cou et des membres inférieurs du personnage féminin (que Max Ernst a obtenue en revêtant de ciment des ressorts d'automobile).

Texte extrait du catalogue de l'exposition Max Ernst
à l'Orangerie des Tuileries, Paris, 1971.

72
La table est mise,
1944-1955

81
Le capricorne,
1948

55 Œdipe I, 1934-1960

56 Œdipe II, 1934-1960

57   Oiseau-tête, 1934/35-1956

155

70   Jeune homme au cœur battant, 1944-1956

60   Gai, 1935-1956

156

71
Le roi jouant avec la reine,
1944-1954

59
Les asperges de la lune,
1935

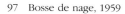

97   Bosse de nage, 1959

73
Un ami empressé,
1944-1957

90 Deux et deux font un, 1956

125   La grande tortue, 1967

127   Le grand assistant, 1967

126 La grande grenouille, 1967

99 Dream rose, 1959

103   Dans les rues d'Athènes, 1960

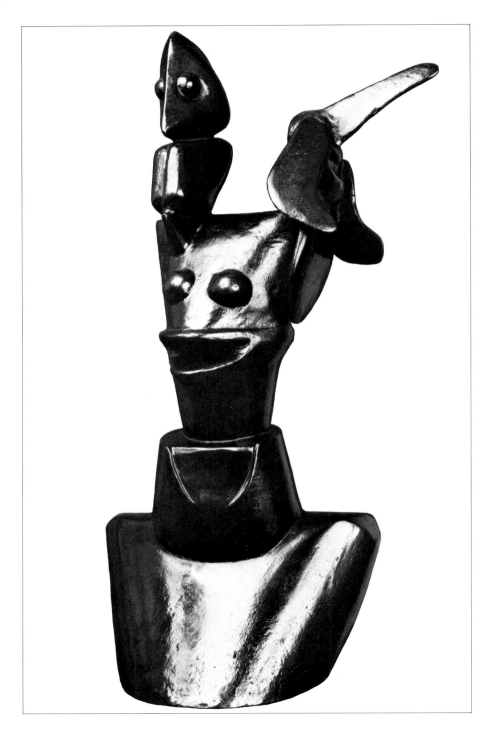

111   L'imbécile, 1961

98 Fille et mère, 1959

122
Le Musée de l'homme,
1965

140
Mon ami Pierrot,
1974

85
La Parisienne,
1950-1957

118
Microbe vu à travers
un tempérament,
1964

88
Êtes-vous niniche?,
1955-1956

141 Janus, 1974

104   Un Chinois égaré, 1960

136
Figure debout (totem),
1973

Nous exprimons nos remerciements à tous ceux
qui ont permis la réalisation de cette exposition, en particulier
Madame Dorothea Tanning, Madame Jean de Menil
et Monsieur Werner Spies, auteur du catalogue raisonné
de Max Ernst

M. Piet de Jonge
Conservateur du Van Abbemuseum, Eindhoven

M. Simon de Pury
Conservateur de la collection Thyssen-Bornemisza, Lugano

Mme Cora Rosevear
Conservateur adjoint, Département des peintures et sculptures,
The Museum of Modern Art, New York

M. William S. Rubin
Directeur du Département des peintures et sculptures, The Museum
of Modern Art, New York

Dr Werner Schmalenbach
Directeur du Kunstsammlung Nordrhein-Westfalen, Düsseldorf

Mme Mary Jane Victor
Conservateur de la Menil Foundation, Houston

M. E. de Wilde
Directeur du Stedelijk Museum, Amsterdam

Mme Hélène Ahrweiler
Recteur-chancelier des universités de Paris-Sorbonne

M. Dominique Bozo
Directeur du Musée national d'art moderne, Centre Georges Pompidou,
Paris

M. François Chapon
Directeur de la Bibliothèque littéraire Jacques Doucet, Paris

M. Pierre Gaudibert
Conservateur en chef du Musée de Grenoble

Mme Nadine Lehni
Conservateur du Musée d'art moderne, Strasbourg

M. Germain Viatte
Conservateur au Musée national d'art moderne, Centre
Georges Pompidou, Paris

M. et Mme Pierre Alechinsky, Paris

M. Ernst Beyeler, Bâle

M. Pierre Chave, Vence

Fondation pour la Recherche médicale, Paris

M. Robert Lebel, Paris

M. Jeffrey H. Loria, New York

M. Jacques Matarasso, Nice

The Menil Family Collection, Houston

Mme Jean de Menil, Houston

Baron et Baronne Thyssen-Bornemisza, Castagnola

et les nombreux prêteurs qui ont préféré conserver
l'anonymat

Adrien Maeght
Président de la Fondation Maeght

Exposition et catalogue réalisés par
Jean-Louis Prat
Vice-président directeur de la Fondation Maeght

Documentation et secrétariat: Danièle Bourgois,
Marie-Christine de Jenken, Annette Pioud, Colette Robin

Maquette: Jean-Pierre Vespérini

Composition: L'Union Linotypiste

Photogravure: Clair Offset

Achevé d'imprimer à Paris le 24 juin 1983
sur Job mat, par la Société nouvelle de l'I.M.L.